Collection cote

Chrétien de Troyes

Lancelot
ou le Chevalier
de la Charrette

classiques Hatier

Roman traduit de l'ancien français par Daniel Poirion
(éditions Gallimard, coll. « Bibliothèque de la Pléiade », 1994)

Un genre

Le roman de chevalerie

© Hatier
Paris 2008
ISBN 2-218-**93179**-6
ISSN 0184 0851

Ariane Carrère,
certifiée de lettres modernes

L'air du temps

Lancelot, le Chevalier de la Charrette (1177-1181)

■ Ce roman, que commence Chrétien de Troyes à la demande de Marie de Champagne, sera achevé par Godefroi de Lagny. Lancelot devient le modèle de l'amant courtois, prêt à tout pour la dame qu'il aime.

À la même époque...

■ Louis VII achève son règne en 1180 mais, auparavant, fait sacrer son fils Philippe.

■ On construit les premières cathédrales gothiques. Le chantier de Notre Dame de Paris débute en 1163.

■ Thomas compose *Tristan*.

■ Marie de France, fille du roi de France, Louis VII, et d'Aliénor d'Aquitaine, tient sa cour à Troyes, en Champagne, auprès de son époux, le comte Henri Ier. Elle y accueille clercs et troubadours.

■ Vers 1167, Marie de France compose des lais qu'elle dédie à Henri II, roi d'Angleterre.

Marie de France écrivant, enluminure de la fin du XIIIe siècle, Paris, Bibliothèque de l'Arsenal.

Sommaire

Chrétien de Troyes
Lancelot ou le Chevalier de la Charrette

Les lieux des romans arthuriens

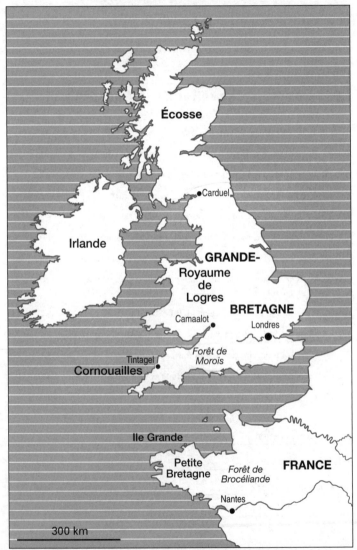

Introduction

Chrétien de Troyes
et *Le Chevalier de la Charrette*

Au XIIe siècle, l'organisation de la France repose sur un système féodal fondé sur les droits et les devoirs des vassaux et de leurs suzerains. Les uns et les autres sont liés par un contrat : le vassal doit aide et conseil à son suzerain, à qui il prête hommage ; en retour, celui-ci doit protection à son vassal, à qui il accorde un fief.

Même si, grâce à l'autorité que lui confère le sacre, le roi de France est le suzerain suprême, il a pour vassaux de grands seigneurs souvent plus riches et plus puissants que lui, comme le duc de Normandie, Henri Plantagenêt, devenu roi d'Angleterre en 1154, ou le comte de Champagne qui tient sa cour à Troyes.

À cette époque, la Champagne est une région très prospère et renommée pour ses grandes foires qui ont lieu à Troyes, Bar-sur-Aube, Provins et Lagny. Cette richesse économique et une certaine stabilité politique expliquent le rayonnement culturel de la cour de Champagne où règne le comte Henri Ier, époux de Marie, fille de Louis VII et d'Aliénor d'Aquitaine.

Suivant l'exemple de sa mère, protectrice des arts, la comtesse Marie accueille à sa cour clercs, trouvères et troubadours qui répandent une culture chevaleresque et courtoise.

Qu'est-ce que la littérature courtoise ?

C'est de cette vie de cour qu'est née la courtoisie, liée à une transformation des mœurs. En effet, à partir du XIIe siècle, un nouvel idéal chevaleresque tend à s'imposer : le chevalier n'est plus seulement un rude guerrier ; il se doit de protéger les faibles, d'être loyal et généreux mais il obéit aussi aux règles de l'amour courtois et est prêt à accomplir des prouesses pour prouver son attachement à sa dame. Cet amour courtois n'est pas une passion aveugle mais se fonde sur la beauté physique et morale de la dame. Le roi Arthur et ses chevaliers dont les légendes se répandent à cette époque (ce qu'on appelle la « matière de Bretagne ») sont le reflet de ce nouvel état d'esprit. Ils proposent des modèles d'idéal courtois dans lesquels les seigneurs et chevaliers pouvaient se voir tels qu'ils le souhaitaient.

L'un des représentants les plus illustres de cette littérature courtoise est justement un des clercs accueillis à la cour de Champagne, Chrétien de Troyes.

Qui est Chrétien de Troyes ?

On dispose de très peu de renseignements sur Chrétien de Troyes, dont on apprend le nom dans un de ses romans, *Erec et Enide* ; son prénom est mentionné dans les derniers vers du *Chevalier au Lion (Yvain)*. Chrétien de Troyes serait né en Champagne vers 1135. Il aurait séjourné à la cour de Champagne dans les années 1170-1181, puis à la cour de Flandre car *Le Chevalier de la Charrette (Lancelot)*, écrit à cette époque, est dédié à Marie de Champagne tandis que son dernier roman, *Perceval ou le Conte du Graal*, est écrit pour Philippe d'Alsace, comte de Flandre depuis 1168. Chrétien de Troyes serait mort vers 1190.

Si on connaît les titres de certaines de ses œuvres, c'est parce qu'elles sont mentionnées dans le prologue de *Cligès*. Chrétien de Troyes aurait commencé par des imitations d'Ovide avant de composer un conte sur le mariage du roi Marc, conte aujourd'hui perdu.

Dans ses œuvres les plus connues comme *Erec et Enide*, *Le Chevalier de la Charrette (Lancelot)*, le *Chevalier au Lion (Yvain)* et *Perceval ou le Conte du Graal*, apparaissent la cour du roi Arthur et les chevaliers de la Table Ronde, Gauvain, Lancelot, Yvain et Perceval qu'il contribuera à immortaliser.

Qu'est-ce que « la matière de Bretagne » ?

Cette expression désigne l'ensemble des récits venus de Bretagne (la Grande et la Petite, voir la carte p. 4) qui concernent la légende du roi Arthur.

Historiquement, Arthur serait un chef guerrier ayant vécu en Angleterre vers 490 après Jésus-Christ. C'est d'abord en pays celte (la Bretagne) que s'est construite la figure mythique du roi Arthur avant d'être enrichie et remaniée par les écrivains du Moyen Âge.

Vers 1135, Geoffroy de Monmouth transcrit, en latin, la légende celtique du roi Arthur dans l'*Historia Regum Brittaniae* (Histoire des rois de Bretagne). Le poète normand Wace traduit et enrichit ce récit dans le *Roman de Brut* (vers 1155) qui connaît un succès immédiat. C'est sur cette « matière de Bretagne » que s'appuie Chrétien de Troyes en faisant de la cour du roi Arthur un modèle de civilisation et le point de départ des aventures des chevaliers. Le roi lui-même est le symbole du souverain loyal et juste. Ses chevaliers incarnent la perfection chevaleresque mais sont aussi le reflet de la société de son époque. Arthur est entouré de personnages qui reviennent d'un récit à l'autre, tels son épouse Guenièvre, son neveu Gauvain, modèle des chevaliers, et le sénéchal Keu, avec qui le roi a été élevé.

Lancelot, le premier chevalier, film réalisé par Jerry Zucker (1995), avec Sean Connery, Richard Gere.

Lancelot ou le Chevalier de la Charrette

Il semble que *Le Chevalier de la Charrette* soit une œuvre écrite à la demande de Marie de Champagne. Chrétien de Troyes ne termine d'ailleurs pas ce roman qui sera achevé, avec l'assentiment de Chrétien, par un continuateur, Godefroi de Lagny.

Déjà mentionné dans le récit de Chrétien *Erec et Enide*, Lancelot, héros du *Chevalier de la Charrette*, se lance à la poursuite de la reine Guenièvre et de son ravisseur. Amoureux de la reine, il brave pour elle toutes les épreuves, allant jusqu'à sacrifier son honneur par amour. Lancelot apparaît comme l'amant courtois par excellence, l'idéal chevaleresque se mêlant à l'idéologie de la *fin'amor*. Ses qualités de chevalier s'affirment au travers des épreuves qu'il surmonte pour aboutir à sa quête.

Après Chrétien de Troyes, l'histoire de Lancelot sera enrichie de multiples textes et continuations. Ainsi, au XIIIe siècle, le *Lancelot-Graal*, dont la troisième section relate la naissance, l'enfance et les aventures du chevalier.

On nous raconte que Lancelot est le fils du roi Ban de Bénoïc et de la reine Elaine, et l'héritier de la Bretagne armoricaine. Après la mort du roi Ban, trahi par son sénéchal, Lancelot, encore enfant, est enlevé par la Dame du Lac (la fée Viviane) qui l'éduque dans son palais au fond d'un lac afin de faire de lui un chevalier parfait.

Son éducation achevée, elle l'emmène à la cour du roi Arthur pour être adoubé. Lors de ce premier séjour à la cour, Lancelot tombe amoureux de la reine Guenièvre et lui demande de devenir son chevalier. Puis ses aventures commencent…

De nos jours, Lancelot inspire aussi le cinéma. Robert Bresson réalise en 1974 *Lancelot du lac* ; en 1995, Richard Gere incarne le héros dans le film de Jerry Zucker, *Lancelot, le premier chevalier* (*First knight* en anglais).

Le personnage de Lancelot apparaît aussi dans *Shrek le Troisième*, une production des studios Dreamworks, sortie en 2007 et réalisée par Raman Hui et Chris Miller.

Lancelot
ou le Chevalier
de la Charrette

William Morris
(1834-1896)
Le roi Arthur et Lancelot
(1852),
vitrail, Angleterre.

MAGNUS ARTURUS REX DOMINUS L UNCELOT DU LAC
POTENTISSIMUS ANGLIAE EQUES INVICTUS

Extrait 1

« Le roi avait réuni sa cour »

Puisque ma dame de Champagne[1] veut que j'entreprenne la composition d'un roman, je l'entreprendrai très volontiers en homme qui se met totalement à son service pour tout ce qu'il peut faire en ce monde, sans se risquer à la moindre flat-
5 terie. Tel autre aurait pu s'en charger avec l'intention d'y glisser un compliment flatteur. Il aurait dit – et j'en pourrais témoi-gner – que c'est la dame qui surpasse toutes celles qui sont en vie, comme passe[2] tous les autres vents le fœhn qui vente en mai ou en avril. Ma foi, je ne suis pas homme à vouloir flatter
10 ma dame. Dirai-je : « De même qu'une pierre précieuse vaut tant de perles et de sardoines[3], la comtesse vaut tant de reines ? » Non, bien sûr, je ne dirai rien de tel, et pourtant c'est la vérité, malgré que j'en aie. Mais je me contenterai de dire que ses directives ont plus d'effet sur cette œuvre que toute
15 la réflexion et la peine que j'y peux consacrer. C'est *Le Chevalier de la Charrette* dont Chrétien commence le livre. La matière[4] et l'idée directrice lui ont été indiquées et données par la comtesse ; quant à lui il se charge de la mise en forme, sans rien apporter de plus que son travail et son application.
20 Et il raconte qu'à une fête de l'Ascension le roi avait réuni sa cour avec tout le faste[5] élégant qu'il aimait, faste bien digne d'un roi ! Après manger il ne quitta pas la compagnie de ses barons qui étaient nombreux dans la salle, où se trouvait aussi la reine. Il y avait là, j'imagine, mainte belle dame[6] courtoise

---

1. Marie de Champagne, fille d'Aliénor d'Aquitaine et du roi Louis VII, épouse d'Henri, comte de Champagne.
2. Surpasse. Le fœhn, vent du sud, chaud et très sec, surpasse tous les vents.
3. Pierre précieuse de couleur brunâtre.
4. Sujet.
5. Luxe.
6. De nombreuses dames.

25 sachant bien s'exprimer en langue française. Keu[7], qui prési-
dait au service des tables, mangeait avec les officiers[8] qui
avaient assuré ce service. Et alors qu'il était encore assis pour
manger, voilà que fit irruption à la cour un chevalier très bien
équipé, et armé de pied en cap[9]. Le chevalier s'avança dans
30 cet équipage juste devant le roi, là où il était assis au milieu
de ses barons, et sans le saluer il lui dit :

« Roi Arthur, j'ai dans mes prisons des gens de ta terre et
de ta maison, chevaliers, dames et jeunes filles. Mais je ne t'en
donne pas de nouvelles avec l'intention de te les rendre. Je
35 veux au contraire te dire et te faire savoir que tu n'as ni forces
ni richesses suffisantes pour les ravoir. Sache bien que tu
mourras sans avoir pu les secourir. »

Le roi répondit qu'il lui fallait bien s'en accommoder s'il
ne pouvait y remédier, mais il en était très accablé. Alors le
40 chevalier fit mine[10] de s'en aller ; il fit demi-tour, sans s'at-
tarder devant le roi, et vint jusqu'à la porte de la salle. Mais
au lieu de descendre les marches, il s'arrêta pour lancer de là
ces paroles :

« Roi, s'il se trouve un seul chevalier à ta cour auquel tu te
45 fierais assez pour oser lui confier la responsabilité de conduire
la reine à ma suite dans ce bois où je vais me rendre, je l'y atten-
drai, et je te promets de te remettre tous les prisonniers retenus
sur ma terre si ce chevalier peut gagner sur moi la bataille dont
elle sera l'enjeu, et faire en sorte qu'il te la ramène. »

50 Ils furent nombreux dans le palais à entendre ces paroles, et
la cour en fut tout agitée. La nouvelle en arriva à Keu qui
mangeait avec le personnel de service. Il quitta la table, vint

---

7. Arthur a été élevé avec Keu
par les parents de ce dernier.
8. Les officiers de bouche sont chargés
du service de table, ce qui est un honneur.

9. Tout armé et à cheval.
10. Fit semblant.

tout droit au roi et il se mit à lui dire, avec tous les signes de la fureur :

55 « Roi, je t'ai servi bien longtemps, très fidèlement et loyalement. Mais maintenant je prends congé[11] de toi, et je m'en irai pour ne plus jamais te servir : je n'ai plus ni la volonté ni l'envie d'être à ton service, à partir de maintenant. »

Le roi est accablé par ce qu'il vient d'entendre, mais dès qu'il 60 retrouve assez d'esprit pour lui répondre, il lui demande brusquement :

« Vous êtes sérieux ou vous plaisantez ?

– Beau sire roi, répond Keu, je n'ai pas envie de plaisanter en ce moment, mais je prends congé, c'est clair. Je ne vous 65 demande ni récompense ni rétribution pour mon service chez vous[12]. C'est bien décidé ; je pars sans plus tarder.

– Êtes-vous en colère ou contrarié, que vous vouliez partir ? Sénéchal, comme il serait normal de votre part, restez à la cour, et sachez bien que je n'ai rien en ce monde que, pour vous 70 garder, je ne sois prêt à vous accorder sans tergiverser[13].

– Sire, dit-il, vous perdez votre temps : je n'accepterais même pas contre un setier[14] d'or fin par jour. »

Voilà le roi désespéré ; il est allé trouver la reine :

« Dame, fait-il, vous ne savez pas ce que le sénéchal me 75 demande ? Il me demande congé et dit qu'il ne restera plus à la cour, je ne sais pourquoi. Mais ce qu'il ne veut pas faire pour moi, il s'empressera de le faire pour vous si vous l'en priez. Allez le trouver, ma dame, chère épouse ; puisqu'il ne daigne pas rester pour moi, priez-le de rester pour vous, et 80 jetez-vous plutôt à ses pieds, pour que je ne perde pas à jamais la joie en perdant sa compagnie. »

---

11. Je m'en vais.
12. Pour avoir été sénéchal au service du roi, c'est-à-dire l'officier de la cour chargé de la maison royale et du service de la table du roi.

13. Sans hésiter.
14. Ancienne mesure de capacité.

Le roi envoie la reine auprès du sénéchal, et elle va le rejoindre. Elle le trouva au milieu des autres et, une fois arrivée devant lui, elle lui dit :

85 « Keu, je suis très fâchée, je vous le dis tout de suite, de ce que j'ai entendu dire de vous. On m'a raconté, et cela me chagrine, que vous voulez quitter le roi. D'où vous vient cette idée, qu'avez-vous sur le cœur ? Je ne vous trouve plus du tout sage, ni courtois[15], comme c'était le cas. Je veux vous prier
90 de rester. Restez, Keu, je vous en prie !

– Dame, répond-il, excusez-moi, mais je ne resterai pas. »

Alors la reine le supplie encore, accompagnée de tous les chevaliers en chœur, mais Keu lui dit qu'elle se fatigue en pure perte. Alors la reine se laisse tomber à ses pieds de toute sa
95 hauteur. Keu la prie de se relever ; mais elle dit qu'elle ne le fera pas avant qu'il ne lui accorde ce qu'elle veut. Alors Keu lui promet de rester, à condition que le roi lui accorde d'avance ce qu'il voudra, et qu'elle-même en fasse autant.

« Keu, fait-elle, quelle que soit votre idée, moi et lui nous en
100 serons d'accord ; venez donc, et nous lui dirons que vous êtes resté à cette condition. »

Keu et la reine vont trouver le roi :

« Sire, dit la reine, j'ai retenu Keu, non sans mal ; mais je vous le remets à une condition, c'est que vous ferez ce qu'il dira. »
105 Le roi pousse un soupir de satisfaction et dit qu'il se soumettra à sa volonté, quoi qu'il lui demande.

« Sire, répond-il, sachez donc ce que je veux, et la nature du don que vous m'avez promis. Je trouve que j'ai beaucoup de chance puisque je l'aurai grâce à vous : c'est la reine ici
110 présente dont vous m'avez confié la protection. Nous irons donc à la recherche du chevalier qui nous attend dans la forêt. »

| **15.** Qui se conduit selon le code de l'honneur et de la vie à la cour.

Le roi en est affligé[16], et pourtant il l'investit de cette mission, car jamais il ne revient sur ce qu'il a promis, mais il le fait avec tristesse et douleur, comme on peut bien le voir à sa mine. La
115 reine aussi est très affligée, et tout le monde au palais convient que c'est l'orgueil, la présomption[17] et la déraison qui ont inspiré à Keu cette demande en forme de requête. Le roi a pris la reine par la main, et il lui a dit :

« Dame, sans conteste il faut vous en aller avec Keu.

120 — Allons, confiez-la-moi, dit Keu, et ne craignez rien, car je saurai bien vous la ramener saine et sauve. »

Le roi la lui remet et l'autre l'emmène. Derrière eux, tous sortent du palais. Sachez aussi que l'on eut vite fait d'armer le sénéchal, et de lui amener son cheval au milieu de la cour, avec,
125 à côté de lui, un palefroi[18] convenant à une reine. La reine vient à son palefroi bien docile et ne tirant pas sur la bride ; très abattue, triste et poussant des soupirs, la reine monte à cheval, puis elle dit tout bas, pour qu'on ne l'entende pas :

« Ah ! ami, si vous saviez, jamais vous ne me laisseriez, je crois,
130 sans résistance faire un seul pas sous la conduite de Keu. »

Elle pensa l'avoir dit tout bas, mais le comte Guinables l'entendit, car il se trouvait près d'elle quand elle monta en selle. Au moment du départ, ce ne furent que lamentations de tous ceux et de toutes celles qui y assistèrent, comme si elle avait
135 été mise en bière[19]. Ils ne pensent pas qu'elle doive jamais revenir de leur vivant. Le sénéchal, mû par son orgueil, l'emmenait là où l'autre l'attendait. Mais nul ne s'affligeait assez pour se mêler de les suivre quand monseigneur Gauvain dit au roi son oncle, en confidence :

140 « Sire, vous avez agi bien naïvement, et j'en suis très étonné ; mais, si vous acceptiez mon conseil, pendant qu'ils sont encore

---

16. Chagriné.
17. Orgueil.
18. Cheval de marche.
19. Mise dans un cercueil.

assez près, vous et moi nous pourrions les suivre, avec tous ceux qui voudraient bien venir. Je ne saurais m'empêcher d'aller à leur recherche immédiatement. Il ne serait pas conve-
145 nable de ne pas aller à leur suite, au moins jusqu'à ce que nous sachions ce que la reine va devenir, et comment Keu s'en sortira.

– Allons-y, beau neveu[20], fait le roi. Vous avez parlé fort courtoisement et, puisque vous avez pris l'initiative, donnez
150 l'ordre que l'on sorte les chevaux, qu'on leur mette brides et selles, de sorte qu'il n'y ait plus qu'à monter. »

Les chevaux sont bientôt amenés, harnachés et sellés. Le roi monte le premier, puis monseigneur Gauvain et tous les autres à qui mieux mieux. Chacun veut être de la partie, mais en
155 allant à sa guise. Il y en avait qui étaient armés, mais beaucoup allaient sans armes. Monseigneur Gauvain, lui, était armé, et il avait aussi pris deux écuyers pour conduire par la bride deux destriers[21]. Alors qu'ils approchaient de la forêt, ils en voient surgir le cheval de Keu, ils l'ont bien reconnu, et
160 ils remarquent que les rênes ont été toutes deux tranchées de la bride. Le cheval revenait tout seul, avec l'étrivière[22] toute tachée de sang ; et la selle avait son arçon[23] de derrière tout brisé et déchiqueté. Il n'est personne qui n'en soit attristé, on échange des hochements de tête, on se pousse du coude.

---

20. Gauvain est le neveu d'Arthur, fils de la demi-sœur du roi.
21. Chevaux de bataille.

22. Courroie grâce à laquelle on suspend l'étrier à la selle.
23. Armature de la selle formée de deux pièces en arcade.

Questions

Repérer et analyser

L'auteur, le narrateur, le prologue

Le prologue

> Dans la littérature médiévale, il arrive souvent que l'auteur (celui qui a écrit le récit) fasse précéder son récit d'un *prologue*. Le prologue comporte en général certains motifs obligés : informations sur l'auteur, circonstances de la rédaction, dédicace…

1 Repérez le passage qui constitue le prologue. Justifiez votre réponse.

2 Relevez la phrase qui indique le nom de l'auteur.

3 À quelle personne le prologue est-il rédigé (l. 1-19) ? À quel moment y a-t-il changement de personne ?

4 **a.** À quel personnage est dédié *Le Chevalier de la Charrette* ? Par quelles expressions ce personnage est-il désigné ?

b. Quel lien unit ce personnage à l'auteur ? Pour répondre, reportez-vous à l'air du temps (p. 2) et à la note 1, p. 10.

5 La prétérition

> *La prétérition* est une figure de style par laquelle on attire l'attention sur une chose en prétendant ne pas vouloir en parler.

a. Dans le prologue, quels compliments le narrateur fait-il par prétérition à son commanditaire ?

b. Quelles sont les comparaisons qui renforcent cet éloge ?

6 Quelle part l'auteur attribue-t-il à son commanditaire dans l'élaboration du roman ? En quoi consiste, selon lui, sa tâche d'écrivain ? Relevez les termes précis.

Le narrateur

> *Le narrateur* est celui qui raconte l'histoire. Au Moyen Âge, il se confond souvent avec le conteur, qui lisait les romans à haute voix (beaucoup de gens ne savaient pas lire). Le narrateur peut mener le récit à la première ou à la troisième personne. Il peut intervenir au cours du récit pour s'adresser à l'auditoire.

7 **a.** À quelle personne le narrateur mène-t-il le récit ? Relevez les passages dans lesquels il intervient.

b. Quel effet cherche-t-il à produire sur l'auditoire ?

Le cadre spatio-temporel et la mise en place de l'action

Le Chevalier de la Charrette est un roman breton, c'est-à-dire un roman dont l'action se déroule en Bretagne (on entendait par Bretagne la Grande-Bretagne et l'Armorique, actuelle Bretagne, voir carte p. 4). Les romans bretons s'inspirent de ce qu'on appelle « la matière de Bretagne », expression désignant plus particulièrement la légende arthurienne, centrée autour du roi Arthur et de ses chevaliers.

8 Dans quel lieu et à quel moment précis de l'année commence l'action ?

9 **a.** Quelle est la situation initiale ? Quelle atmosphère règne à la cour ?

b. Quel événement vient perturber la cour ?

Les personnages et leurs relations

Le chevalier orgueilleux

Face au modèle du chevalier respectueux des codes de la chevalerie tel que peut l'incarner Gauvain, Chrétien de Troyes met en scène un type de chevalier discourtois, orgueilleux et violent.

10 **a.** Relevez les expressions qui caractérisent le chevalier qui survient à la cour.

b. Montrez en citant le texte que, dès son arrivée, il a un comportement discourtois envers le roi.

c. Quel défi lance-t-il au roi ?

Keu

11 **a.** Pour quelle raison Keu veut-il quitter sans délai la cour et son office de sénéchal ?

b. Comment la reine réussit-elle à le convaincre de rester à la cour ?

12   Le don contraignant

> Par le « don contraignant », le roi s'engage à accorder à Keu ce qu'il demande avant même de savoir ce dont il s'agit ; même si cette demande lui déplaît, ce qui est le cas ici, le personnage qui a octroyé ce don ne peut se dédire sous peine de perdre son honneur.

a. Quelle demande Keu fait-il au roi ? Que pensent l'assistance et la reine de cette demande ?

b. Relevez, dans l'attitude et les propos du sénéchal, les marques de son orgueil.

Le roi Arthur

13   **a.** Que répond le roi au chevalier qui le défie ? Sa réponse est-elle digne de son statut de roi légendaire ? Pourquoi ?

b. Quels sentiments Arthur éprouve-t-il devant ce défi et devant l'attitude de Keu ? Relevez les expressions qui les soulignent.

14   **a.** Que reproche Gauvain au roi ? Quel conseil lui donne-t-il ?

b. À quels signes s'aperçoit-on que le roi est affaibli ?

c. En quoi le défi du chevalier et le départ de la reine sont-ils une menace très grave pour la souveraineté du roi Arthur ?

La stratégie du narrateur et l'enjeu du passage

15   **a.** Le narrateur fournit-il des indications sur le chevalier ?

b. Peut-on savoir à qui s'adresse la phrase que la reine prononce à voix basse (l. 129-130) ? Qui a entendu cette phrase ? Quelle conséquence cette indiscrétion peut-elle avoir ?

16   Que signifie le retour du cheval de Keu à la fin du passage ? Dans quel état est-il ? À quelle suite l'auditoire peut-il s'attendre ? Le narrateur a-t-il su ménager son intérêt ?

Étudier la langue

L'origine du mot *roman*

À l'origine, le mot *roman* désignait un texte écrit en langue romane, issue du latin populaire, c'est-à-dire la langue parlée quotidienne, par opposition aux textes scientifiques, religieux et juridiques rédigés en langue latine littéraire. Les récits d'aventures étaient alors écrits en roman et en vers. Peu à peu, vers 1160, le mot *roman* en est venu à désigner les récits eux-mêmes.

« Puisque ma dame de Chanpaigne
Vialt que romans a feire anpraigne
Je l'anprendrai molt volentiers… »

17 **a.** Retrouvez la traduction de ce passage cité en ancien français.
b. Quel est le sens du mot *roman* aujourd'hui ?

Écrire

Rédiger un portrait

18 Insérez au tout début du récit un court portrait physique et moral du roi Arthur tel que vous l'imaginez au milieu de sa cour.
Consignes d'écriture :
– le portrait est rédigé à l'imparfait ;
– le portrait est mélioratif (le roi incarne l'idéal courtois, généreux, il est le garant des valeurs chevaleresques).

Se documenter

La légende du roi Arthur

Historiquement, Arthur serait un chef guerrier celtique ayant vécu en Angleterre vers 490 après Jésus-Christ. La tradition en a fait un roi légendaire. Fils du roi Uterpandragon, roi de Bretagne, et d'Ygerne, Arthur est élevé, sur l'ordre de Merlin, loin de la cour et ignore sa véritable origine. Ayant réussi à extraire l'épée Excalibur du perron où elle était fichée, Arthur devient roi du royaume de Logres à seize ans. À sa cour se réunissent des chevaliers d'exception, les chevaliers de la Table Ronde, tels Yvain, Gauvain et Lancelot.

Le défi au roi Arthur

Chrétien de Troyes reprend le thème du défi lancé au roi Arthur dans *Perceval ou le conte du Graal*.

En effet, lorsque Perceval arrive pour la première fois à la cour du roi Arthur, ce dernier vient de subir un affront et en fait part au jeune homme : « Je vous prie de ne pas m'en vouloir si je n'ai pas répondu à votre salut. Le chagrin m'a empêché de vous répondre car le pire de mes ennemis, celui que je déteste le plus et qui m'inquiète le plus, est venu ici revendiquer ma terre et il a été assez fou pour dire qu'il l'aura en toute propriété, que je le veuille ou non. On l'appelle le Chevalier Vermeil… » (*Perceval ou le conte du Graal*, édition D. Poirion, La Pléiade, p. 709). Ce chevalier a été jusqu'à renverser sur la reine une coupe de vin et est reparti tranquillement sans être inquiété. C'est Perceval qui, indirectement, vengera cet affront en tuant le chevalier et en s'emparant de ses armes qu'il convoitait.

Extrait 2

« Si tu veux monter sur la charrette que je conduis... »

Monseigneur Gauvain chevauchait loin en avant du gros de la troupe. Il ne tarda guère à voir venir un chevalier au pas, sur un cheval mal en point, harassé[1], haletant et baigné de sueur. Le chevalier salua monseigneur Gauvain le premier, et
5 celui-ci lui rendit son salut. Alors le chevalier s'arrêta, et reconnaissant monseigneur Gauvain il lui dit :

« Seigneur, ne voyez-vous pas que mon cheval est trempé de sueur et qu'on ne peut plus rien en tirer ? Or je pense que ces deux destriers sont à vous ; je vous prierais donc, en m'enga-
10 geant à vous rendre le service et à vous en récompenser, de me prêter ou de me donner l'un des deux, n'importe lequel.

– Choisissez donc, lui répondit-il, entre les deux, selon votre préférence. »

Mais lui, qui en avait grand besoin, ne prit pas le temps de
15 chercher le meilleur, ni le plus beau, ni le plus grand, il monta tout de suite sur celui qu'il trouva le plus près de lui, et il le mit aussitôt au galop. Quant au cheval qu'il venait de quitter, il s'écroula, mort, car il l'avait toute la journée fort éprouvé, fatigué, et surmené. Sans jamais s'arrêter le chevalier s'en alla
20 tout armé dans la forêt, et monseigneur Gauvain le suivit à distance en une furieuse poursuite. Arrivé sur une hauteur, il descendit la pente, et après une longue traite[2] il retrouva mort

1. Épuisé.
2. Course.

le destrier qu'il avait donné au chevalier. Il y avait là des traces
d'un intense piétinement de chevaux, et des débris d'écus et
25 de lances alentour ; on avait bien l'impression que plusieurs
chevaliers y avaient pris part à une grande bataille. Il fut très
contrarié et mécontent de ne pas avoir été là. Il ne s'est pas
arrêté longtemps, mais il reprit sa route à vive allure jusqu'au
moment où il put par aventure apercevoir le chevalier, tout
30 seul, à pied, tout armé, le heaume[3] lacé, l'écu[4] au col, l'épée
au côté ; il venait de rejoindre une charrette. On se servait alors
des charrettes comme aujourd'hui on se sert des piloris[5], et
dans chaque bonne ville où l'on en compte maintenant trois
mille, il n'y en avait qu'une en ce temps-là, et elle était utilisée
35 également, comme aujourd'hui le pilori, pour les gens
convaincus de meurtre ou de vol, pour ceux qui avaient perdu
un combat judiciaire, pour les brigands et voleurs de grand
chemin : tout repris de justice était placé sur la charrette et
promené par toutes les rues ; dès lors il était déshonoré, interdit
40 d'audience à la cour, et privé de toute marque d'estime et de
sympathie. Parce que les charrettes de ce temps-là étaient ainsi
terriblement mal famées[6], on commença à dire : « Quand charrette verras et rencontreras, signe-toi et souviens-toi de Dieu,
de peur qu'il ne t'arrive malheur. » Le chevalier qui s'avançait
45 à pied et sans lance rejoignit la charrette où il aperçut un
nain assis sur le brancard[7]. Il tenait à la main, en bon charretier, une longue baguette. Alors le chevalier dit au nain :

     « Nain, pour Dieu, dis-moi donc si tu as vu passer par ici
ma dame la reine. »

---

3. Casque qui couvre la tête et le haut
du visage.
4. Bouclier.
5. Poteaux équipés d'une plate-forme et
d'une roue sur laquelle les criminels
étaient attachés et exposés au mépris
des passants.

6. Elles avaient mauvaise réputation.
7. Pièce de bois en longueur à laquelle
on attache un animal pour tirer la charrette.

ire chevalier fait monseigneur
gauuam car ales ius de la char
rete et montes sur ce cheual q̄
moult est bon aincoys que pl⁹
grant honte vous en viengue.
Dehait ait fait le nam qui ce

Lancelot sur la charrette infamante, enluminure du XIVᵉ siècle.

50   Le nain – une sale engeance[8] ! –, le misérable, refusa de lui en donner des nouvelles.

« Si tu veux, dit-il, monter sur la charrette que je conduis, tu pourras savoir d'ici demain ce qu'est devenue la reine. »

Sur le moment, le chevalier a poursuivi sa route sans y 55 monter ; il a eu tort, tort d'avoir honte et de ne pas aussitôt sauter dans la charrette, car il le regrettera un jour. Mais Raison, qui s'oppose à Amour, lui dit de ne pas monter, le retenant et lui enseignant de ne rien faire ni entreprendre qui puisse lui apporter honte ou reproche. Ce n'est pas du cœur mais 60 de la bouche que vient ce discours que Raison ose lui tenir. Mais Amour, enfermé dans le cœur, l'exhorte et l'invite à monter tout de suite dans la charrette. Amour le veut, alors il y saute ; il n'a plus peur de la honte, puisque c'est l'ordre et la volonté d'Amour. Cependant monseigneur Gauvain prend 65 en chasse la charrette en piquant des deux et, en y trouvant assis le chevalier, il s'étonne.

« Nain, dit-il alors, donne-moi des renseignements sur la reine, si tu sais quelque chose.

– Si tu as pour toi, répondit le nain, autant de haine que le 70 chevalier qui est assis là, monte avec lui à ta guise, et je t'emmènerai aussi. »

En entendant cette proposition monseigneur Gauvain estima que ce serait une grande folie et il refusa d'y monter, car il perdrait au change en troquant un cheval contre une charrette.

75   « Mais va donc là où tu voudras, et je te suivrai partout où tu iras. »

Alors ils se mettent en route, l'un à cheval, les deux autres sur la charrette, mais en suivant ensemble le même chemin.

| **8.** Catégorie de gens que l'on trouve méprisables.

Repérer et analyser

Le narrateur

1 Quel est l'intérêt de l'intervention du narrateur aux lignes 31 à 44 ?

2 L'anticipation

L'anticipation consiste à évoquer un événement avant le moment où il se situe dans l'histoire.

Relevez une anticipation dans ce passage. Qu'annonce-t-elle ?

Le cadre et la progression du récit

La forêt

La forêt apparaît comme le cadre privilégié des romans de chevalerie. Elle s'oppose à l'espace civilisé de la cour et est le lieu de l'aventure.

3 Relevez les éléments qui constituent le cadre de l'aventure.

4 **a.** Quel personnage Gauvain rencontre-t-il ? Quelle est sa qualité ? Le narrateur dévoile-t-il son nom ?

b. Les deux personnages se connaissent-ils ? Justifiez votre réponse.

c. Dans quel état ce personnage est-il ? Comment Gauvain l'aide-t-il ?

d. Pour quelle raison le poursuit-il ensuite ? Où le retrouve-t-il ?

Le chevalier et sa monture

Le cheval est indispensable au chevalier qui prend toujours grand soin de sa monture. Dans le roman de Chrétien de Troyes *Yvain ou le Chevalier au Lion*, le narrateur insiste sur cet aspect alors qu'il décrit un combat : « … et ils agirent en vrais preux en se gardant bien de blesser ni d'estropier leurs montures où que ce fût. »

5 **a.** Dans quel état se trouve le cheval que monte le chevalier inconnu lorsqu'il rencontre Gauvain ? Relevez les mots et expressions qui l'indiquent.

b. À quels détails voit-on que ce chevalier est très pressé ?

c. Qu'arrive-t-il au destrier que lui a prêté Gauvain ?

d. En quoi cette attitude envers ses montures est-elle surprenante de la part d'un chevalier ?

e. Le fait d'être à pied est-il humiliant pour un chevalier ?

Le motif de la charrette

6 **a.** Quelle était la fonction des charrettes à cette époque?

b. Quel type de personnages y montait?

c. Quelles conséquences entraînait le fait de monter dans une charrette?

Le merveilleux : le personnage du nain

Certains personnages des romans de chevalerie relèvent du domaine du merveilleux. *Le nain*, personnage négatif, méchant voire maléfique, est méprisé par les chevaliers. Dans nombre de légendes, il passe pour avoir des liens avec le royaume des morts.

7 Relevez les expressions qui caractérisent le nain. Quelle image le narrateur donne-t-il de lui?

8 Quelle condition le nain impose-t-il aux deux chevaliers s'ils veulent avoir des nouvelles de la reine?

L'amour courtois

L'amour courtois se développe au XIIe siècle en réaction contre les rudes mœurs féodales. C'est un code exigeant fondé sur l'élégance morale et le don de soi. Le chevalier se met au service de la dame, se soumet totalement à son pouvoir et, pour elle, surmonte mainte épreuve. L'amour devient alors la source du courage et de la prouesse.

L'allégorie est une figure de style qui consiste à personnifier un sentiment (l'amour…), une idée, une manière de penser, une abstraction (la mort…). Les écrivains du Moyen Âge utilisent souvent des allégories.

Le dilemme est une situation dans laquelle un personnage est obligé de choisir entre deux partis contradictoires qui présentent tous deux des inconvénients.

9 **a.** À quel conflit intérieur (ou dilemme) est soumis le chevalier inconnu? Que lui commande Amour? Que lui commande Raison?

b. Qui l'emporte entre Raison et Amour?

c. Le chevalier inconnu respecte-t-il le code de l'amour courtois? Justifiez votre réponse.

Le motif de la quête et de l'aventure

La quête et l'aventure sont les moteurs des récits de chevalerie : elles donnent au chevalier l'occasion de montrer sa valeur et sa vaillance. La quête peut être engagée pour délivrer ou défendre une personne, protéger un lieu et plus tard, retrouver le Saint Graal.

10 a. Dans quelle quête s'engagent les deux chevaliers ?

b. S'y engagent-ils de la même façon ? Comment expliquez-vous la différence de leur réaction aux conditions imposées par le nain ?

Étudier la langue

L'équipement du chevalier

11 a. Quelles sont les pièces de l'équipement du chevalier citées dans cet extrait ? Quel est l'usage de ces pièces ?

b. À l'époque médiévale, le cheval porte un nom différent selon sa fonction. Que désignent précisément les noms « un destrier », « un palefroi », « un roncin » ?

Écrire

Faire le récit d'un épisode de l'histoire

12 Après avoir imaginé par quel moyen le chevalier inconnu a appris l'enlèvement de la reine Guenièvre, racontez comment il réagit et se met immédiatement en route.

Extrait 3

« C'est dans ce lit
que je veux me coucher »

Au crépuscule ils arrivèrent à un château, et sachez que ce château était imposant et magnifique. Tous trois entrent par l'une des portes. Ce chevalier, que l'autre amène sur sa charrette, étonne tout le monde ; mais au lieu de s'enquérir [1] discrè-
5 tement auprès de lui, ils l'accueillent avec des huées [2], petits et grands, vieillards et enfants, de rue en rue dans une grande clameur. Alors le chevalier s'entend dire beaucoup d'injures et d'insultes. Tous demandent :

« À quel supplice va-t-on livrer ce chevalier ? Sera-t-il
10 écorché, pendu, noyé, brûlé sur un bûcher d'épines ? Dis, nain, dis, toi qui le traînes ainsi, de quel crime l'a-t-on trouvé coupable ? Est-il convaincu de vol [3] ? Est-ce un meurtrier, ou le vaincu d'un combat judiciaire [4] ? »

Le nain garde le silence, sans répondre quoi que ce soit. Il
15 conduit le chevalier à son lieu d'hébergement, suivi de près par Gauvain : c'était une tour jouxtant la ville et de même niveau. D'un côté il y avait une prairie, et de l'autre une falaise de roche brune, escarpée, d'où la tour surplombait la vallée. Derrière la charrette Gauvain entra donc à cheval. Dans la
20 grande salle ils rencontrèrent une demoiselle élégamment habillée, et dont la beauté n'avait pas de rivale dans la région ; ils voient venir avec elle deux jeunes filles, gentilles et belles. Dès qu'elles aperçurent monseigneur Gauvain, elles lui firent fête, le saluèrent puis posèrent des questions sur le chevalier.

---

1. Demander, poser la question.
2. Cris hostiles, injures.
3. Est-il prouvé qu'il a volé ?

4. La justice médiévale autorise le recours au duel pour régler un différend.

25 « Nain, qu'a fait de mal ce chevalier que tu transportes comme un infirme ? »

L'autre, refusant de leur donner une explication, fit descendre le chevalier de la charrette puis s'en alla ; on ne sut où il était parti. Monseigneur Gauvain descendit de cheval. Alors deux
30 jeunes gens s'avancèrent pour les désarmer tous les deux. La demoiselle leur fit apporter deux manteaux de fourrure d'écureuil qu'ils mirent sur leurs épaules. Quand l'heure du souper fut arrivée, un bon repas les attendait. La demoiselle se mit à table à côté de monseigneur Gauvain. Ils n'auraient rien gagné
35 à vouloir changer de gîte [5] pour trouver mieux, car ils y furent traités avec beaucoup d'égards, en charmante compagnie durant toute la nuit, grâce à la demoiselle.

Quand ils eurent assez mangé, on leur prépara dans une chambre deux lits hauts et longs ; il y en avait un troisième, à
40 côté, plus beau et plus somptueux que les autres, car, selon ce que dit le conte, on l'avait pourvu de tout le confort imaginable pour un lit. Arrivée l'heure du coucher, la demoiselle conduisit les deux hôtes dont elle s'était occupée et, leur montrant les deux lits, très beaux, grands et larges, elle leur dit :

45 « Ces deux lits, là-bas, ont été mis à votre disposition ; quant à celui qui est de ce côté-ci il est réservé à celui qui l'a mérité : il n'a pas été fait pour vous. »

Alors le chevalier qui était arrivé sur la charrette répondit, plein de dédain et de mépris pour l'interdiction formulée par
50 la demoiselle :

« Dites-moi donc, sous quel prétexte ce lit est-il interdit ? »

Elle répondit sans prendre le temps de réfléchir (sa réponse était toute prête) :

« Ce n'est pas à vous qu'il appartient de poser la question.

| **5.** Logis.

55   Le déshonneur s'attache à tout chevalier de ce monde une fois
qu'il a été en charrette : il n'est pas autorisé à poser la question que vous venez de me poser, encore moins à prétendre y
coucher ; il pourrait très vite le payer cher. Je ne l'ai pas fait
préparer si richement pour vous y faire coucher. Vous pour-
60   riez payer très cher ne fût-ce qu'une telle intention.

– Vous verrez bien, fait-il, le moment venu.

– Je le verrai ?

– Oui.

– Attendons la démonstration.

65   – Je ne sais qui va en faire les frais, sur ma tête, dit le chevalier ! Mais, s'en fâche ou s'en chagrine qui voudra, c'est dans
ce lit que je veux me coucher et reposer tout à loisir. »

Dès qu'il a enlevé ses chausses[6], c'est dans le lit qui était plus
long et plus haut que les deux autres d'une demi-aune qu'il
70   se couche, sous une couverture faite d'un brocart[7] de soie
jaune constellé d'or. La doublure n'était pas faite d'une fourrure d'écureuil de mauvaise qualité, mais bien de zibeline[8] :
elle aurait pu convenir à un roi, cette couverture qu'il avait
tirée sur lui ; et le lit lui-même n'était pas fait de chaume, de
75   paille, ni de vieilles nattes[9]. À minuit, des lattes[10] du toit fondit
une lance comme la foudre, pointe en bas, sur le chevalier,
menaçant de le clouer sur place par les flancs à la couverture, aux draps blancs et au lit. Le pennon[11] attaché à la lance
était tout enflammé. Le feu prit à la couverture, aux draps et
80   à l'ensemble du lit. Mais le fer de la lance frôla le chevalier
de côté en lui ôtant un peu de peau, sans toutefois le blesser.

---

6. Partie du vêtement en drap ou en soie
qui couvre le bassin et les membres
inférieurs.
7. Étoffe brochée de soie, d'or ou d'argent.
8. Petit mammifère de Sibérie
à la fourrure brun foncé.

9. Ensembles de brins végétaux tressés
sur lesquels on se couche.
10. Pièces de charpente en bois, étroites
et longues.
11. Petit drapeau triangulaire.

Alors le chevalier s'est redressé : il éteint le feu, prend la lance et l'envoie au milieu de la salle, sans pour autant abandonner son lit ; il s'est recouché et s'est rendormi aussi tranquillement

85   que la première fois.

Le lendemain matin, au lever du jour, la demoiselle de la tour, qui leur avait fait préparer une messe, les fit réveiller et se lever. Quand on leur eut chanté la messe, le chevalier mélancolique (celui qui s'était assis sur la charrette) vint aux fenêtres

90   donnant sur la prairie, et il regarda en bas vers les prés. À la fenêtre voisine s'était installée la jeune fille, et monseigneur Gauvain s'était entretenu avec elle un bon moment, dans un coin, de je ne sais quoi. Je ne sais vraiment pas le sujet de leur conversation. Mais ils étaient restés appuyés à la fenêtre

95   pendant un certain temps quand ils virent en bas par les prés, le long de la rivière, emporter une bière ; il y avait dedans un chevalier, et à côté trois demoiselles menaient grand deuil très

Lancelot, dans la charrette, entre dans une ville fortifiée, enluminure du XIVᵉ siècle.

bruyamment. Derrière la bière, ils voient venir un cortège précédé d'un chevalier de grande taille qui emmenait à sa
100 gauche une belle dame. De sa fenêtre notre chevalier la reconnut : c'était la reine. Il la suivit constamment du regard, fasciné, ravi[12], le plus longtemps possible. Et quand il lui fut impossible de la voir encore, il voulut se laisser tomber, son corps basculant dans le vide. Il avait déjà le corps à moitié
105 hors de la fenêtre quand monseigneur Gauvain l'aperçut. Il le tira en arrière et lui dit :

« Par pitié, seigneur, tenez-vous tranquille ; par Dieu, n'allez pas vous mettre en tête de commettre une telle folie. Vous n'avez aucune raison de haïr votre vie.
110 – Si, il a raison, réplique la demoiselle. Ne va-t-on pas partout apprendre la fâcheuse nouvelle de son voyage en charrette ? Il doit bien désirer mourir ; pour lui la mort est préférable à la vie puisqu'il doit vivre désormais dans la honte, le mépris et le malheur. »
115 Sur ce, les deux chevaliers demandèrent leurs armes, et ils revêtirent leur armure. Alors la demoiselle fit montre de courtoisie, noblesse et largesse car, après avoir beaucoup raillé[13] et rabroué le chevalier, elle lui donna un cheval et une lance en marque d'affection et de bon accord. Les chevaliers prirent
120 congé de la demoiselle en hommes courtois et bien élevés, et après l'avoir saluée ils partirent dans la direction qu'ils avaient vu prendre par le cortège. Mais ils sortirent si vite du château que personne ne put leur adresser la parole.

---

12. En extase.   **13.** S'être moquée.

Repérer et analyser

Le cadre spatio-temporel

1 Depuis combien de temps Gauvain a-t-il quitté la cour du roi Arthur ? À quel moment de la journée les deux chevaliers arrivent-ils devant le château ?

2 Quels détails font du château un lieu imposant et magnifique ? Quels sont les éléments qui le composent ?

3 **a.** Dans quel lieu précis le nain conduit-il les deux chevaliers ?
b. Combien de temps les chevaliers restent-ils dans cet endroit ?

La vie courtoise et l'hospitalité

Dans les romans arthuriens, *le château* constitue souvent l'espace de l'hospitalité et de la courtoisie. Tout visiteur est le bienvenu ; les exemples sont nombreux dans les romans de chevalerie.

4 **a.** Comment les habitants accueillent-ils tout d'abord les deux chevaliers ? Quelle image le narrateur donne-t-il d'eux ?
b. Relevez les mots et expressions qui caractérisent l'hospitalité accordée aux chevaliers par la demoiselle.
c. Quelles sont les marques de cette hospitalité ?

Le parcours du chevalier de la charrette

L'accueil

5 Relevez les expressions par lesquelles les habitants accueillent le chevalier monté sur la charrette. À quel champ lexical appartiennent-elles ?

6 **a.** Comment la demoiselle se comporte-t-elle envers le chevalier de la charrette par rapport à Gauvain ? Donnez un exemple précis.
b. Modifiera-t-elle son attitude par la suite ? Justifiez votre réponse.

L'interdiction et l'épreuve qualifiante

Les épreuves constituent des étapes nécessaires dans le parcours d'un cheva-lier. La mise à l'épreuve permet au chevalier d'évaluer sa valeur et de forger son identité de héros.

7 **a.** Quelle interdiction la demoiselle formule-t-elle aux deux cheva-liers ?

b. Comment le chevalier de la charrette réagit-il à cette interdiction ?

Au Moyen Âge, *la nuit* est souvent le moment des épreuves.

8 **a.** Qu'arrive-t-il au chevalier de la charrette pendant la nuit ? Que fait-il alors ?

b. L'épreuve est-elle qualifiante ?

La reine

La fenêtre apparaît comme un mode de communication avec l'être aimé : elle permet aux amants de se regarder et de communiquer par-delà les obstacles.

9 **a.** Relevez les termes appartenant au champ lexical de la fasci-nation dans le passage où le chevalier aperçoit la reine de la fenêtre.

b. Quels effets la contemplation de la reine produit-elle sur le cheva-lier de la charrette ? Que pouvez-vous en déduire sur ses sentiments ?

Le merveilleux

Les romans arthuriens présentent souvent des *éléments merveilleux*.
On parle de merveilleux lorsqu'interviennent dans le récit des lieux (forêt, fontaine…), des objets (anneau…), des personnages (géant, fée…) provoquant des événements surnaturels ou possédant un pouvoir magique.

10 **a.** En quoi la lance revêt-elle un caractère merveilleux ?

b. Que met en valeur chez le chevalier de la charrette l'épreuve de la lance enflammée ?

La stratégie du narrateur et les choix narratifs

11 **a.** Relevez les interventions du narrateur dans cet extrait.
À qui s'adressent-elles ?

b. Comment réussit-il à piquer la curiosité de son auditoire (l. 27-29 et 93-94) ?

12 **a.** Quelle est la part des dialogues dans ce passage ? Qui parle ? À qui ?

b. Quel type de phrase domine dans le premier dialogue (l. 9-13) ? Pourquoi ?

c. Quel effet produisent les dialogues dans ce passage ?

L'enjeu du passage

13 **a.** Quel semble être le mobile principal de la quête entreprise par le chevalier de la charrette ?

b. En quoi sa motivation est-elle différente de celle de Gauvain ?

Étudier la langue

Le lexique

14 « Demoiselle » (l. 20), « courtois » (l. 120) : quel est le sens de ces mots au XIIᵉ siècle ? Quel est leur sens aujourd'hui ?

Écrire

Décrire une scène

15 Imaginez le dîner auquel la demoiselle convie les deux chevaliers. Décrivez d'abord la salle du château où a lieu ce repas puis imaginez le dialogue entre les trois personnages.

Vous n'oublierez pas que l'inconnu est plutôt silencieux tandis que Gauvain est un chevalier très courtois et très aimable.

Extrait 4

« Au royaume dont nul étranger ne retourne... »

Ils passèrent rapidement à l'endroit où ils avaient aperçu la reine, sans pouvoir rattraper le cortège qui était parti au galop. Ils quittèrent les prés pour franchir une barrière et entrer dans un bois où ils trouvèrent un chemin empierré[1]. Ils ont ainsi
5 voyagé dans la forêt jusqu'à la première heure du jour. Ils rencontrent alors à un carrefour une demoiselle qu'ils ont tous les deux saluée. Et ils la pressent de questions pour qu'elle leur dise, si elle le sait, où l'on a emmené la reine. Elle répond avec prudence :

10 « Je pourrais bien, moyennant certaines assurances de votre part, vous mettre dans le droit chemin et sur la bonne voie ; je vous dirais le nom du pays et celui du chevalier qui l'emmène. Mais il faudrait beaucoup d'endurance[2] à celui qui voudrait entrer dans ce pays ! De rudes épreuves l'attendraient
15 avant qu'il n'y pénètre.

– Demoiselle, lui dit monseigneur Gauvain, avec l'aide de Dieu je puis vous assurer sans réserve que je mettrai à votre service, quand il vous plaira, tout mon pouvoir, pourvu que vous me disiez la vérité. »

20 Quant à celui qui avait été sur la charrette il ne l'assure pas de tout son pouvoir, mais il affirme, avec la noblesse et la hardiesse que donne Amour en toute circonstance, qu'il lui promet tout ce qu'elle voudra et se met entièrement à sa disposition.

1. Recouvert de pierres.
2. Résistance aux fatigues physiques et morales.

25 « Je vais donc tout vous dire, fait la demoiselle qui commence
alors à leur raconter : Ma foi, seigneurs, Méléagant, un chevalier très fort et de très haute taille, fils du roi de Gorre, s'est
emparé de la reine et il la retient au royaume dont nul étranger
ne retourne, mais où il se trouve contraint à passer ses jours
30 dans la servitude[3] et l'exil. »

Alors notre chevalier lui demande à son tour :

« Demoiselle, où se trouve cette terre ? Où chercher le chemin
qui y conduit ?

– Vous le saurez bientôt, répond la demoiselle, mais, sachez-
35 le, vous y rencontrerez beaucoup d'obstacles et de passages
dangereux, car on n'y entre pas facilement sans l'autorisation
du roi ; le roi s'appelle Bademagu. On peut entrer, cependant,
par deux itinéraires périlleux[4] et deux passages effrayants.
L'un s'appelle le Pont Immergé, parce que ce pont passe entre
40 deux eaux, à égale distance de la surface et du fond, avec ni
plus ni moins d'eau de ce côté que de l'autre, et il n'a qu'un
pied et demi[5] de large, et autant en épaisseur. Il y a de quoi
refuser cette perspective et encore est-ce la moins périlleuse.
Et il y a beaucoup d'autres aventures entre ces deux chemins,
45 dont je ne parle pas. L'autre pont, de loin le plus difficile et le
plus périlleux, n'a en effet jamais été franchi par un homme.
Il est tranchant comme une épée et pour cette raison les gens
l'appellent le Pont de l'Épée. Je vous ai conté toute la vérité
qu'il est en mon pouvoir de vous dire.

50 – Demoiselle, lui redemande le chevalier, voulez-vous bien
nous indiquer ces deux chemins ?

– Voici la voie directe, répond la demoiselle, conduisant au
Pont sous l'Eau, et voilà celle qui conduit au Pont de l'Épée. »

---

3. Esclavage.
4. Dangereux.

5. Le pied est une ancienne mesure de
longueur équivalant environ à 33 cm.

Alors le chevalier qui s'était fait charretier dit à l'autre :

55   « Seigneur, je vous laisse le choix sans arrière-pensée : prenez l'un de ces deux chemins, et cédez-moi l'autre ; prenez celui que vous préférez.

– Ma foi, fait monseigneur Gauvain, il y a bien des périls et des épreuves dans l'un et l'autre passages. Pour choisir je

60   manque de compétence, et je ne sais de quel côté serait mon avantage. Mais je n'ai pas le droit de tergiverser puisque vous m'avez laissé le choix : je me destine au Pont sous l'Eau.

– Il est donc juste que je m'en aille au Pont de l'Épée, sans discussion, fait l'autre, et je vais m'y employer. »

65   Alors ils se séparent tous les trois en se recommandant mutuellement à Dieu, très sincèrement. Au moment où elle les voit s'en aller, la demoiselle leur dit :

« Chacun de vous doit me donner en échange une récompense à mon gré, quelle que soit l'heure où je voudrai l'ob-

70   tenir ; veillez à ne pas l'oublier !

– Nous nous en garderons bien, douce amie », font les deux chevaliers.

Alors chacun s'en va de son côté. L'homme de la charrette est plongé dans sa méditation en homme sans force et sans

75   défense envers Amour qui le gouverne. Et sa méditation est telle qu'il en oublie qui il est : il ne sait s'il est ou s'il n'est pas, il ne sait son nom, il ne sait s'il est armé ou non, il ne sait où il va ni d'où il vient. Il ne se souvient de rien sauf d'une seule personne, et c'est pour elle qu'il a oublié tout le reste ; c'est à

80   elle seule qu'il pense si intensément qu'il n'entend, ne voit ni ne comprend rien.

Questions

Repérer et analyser

Le cadre spatio-temporel

1 Dans quel lieu les chevaliers rencontrent-ils la demoiselle ?

2 **a.** Dans quel lieu le ravisseur a-t-il emmené la reine Guenièvre ?

b. Quelle est la caractéristique essentielle de ce lieu ?

c. Quelles sont les deux seules voies qui permettent d'y accéder ?

Le parcours du chevalier de la charrette

Les questions

Le chevalier doit poser les questions indispensables au bon déroulement de l'aventure chevaleresque.

3 **a.** Quelles questions les chevaliers et plus particulièrement le chevalier de la charrette posent-ils à la demoiselle ?

b. Quelles différentes informations la demoiselle leur fournit-elle ?

La parole donnée

Le motif de *la parole donnée et du don* (« le servise et le guerredon ») est très fréquent dans les romans arthuriens. Il s'agit d'une promesse qui, en échange d'un service ou d'une information, engage son auteur car elle doit absolument être respectée. Elle peut être, comme ici, une façon pour le héros de progresser dans sa quête.

4 À quelle condition la demoiselle accepte-t-elle de renseigner les chevaliers ?

5 **a.** À quoi s'engagent les deux chevaliers en acceptant ce que leur demande la demoiselle ?

b. Quelle différence voyez-vous entre la réponse de Gauvain (l. 16-19) et celle du chevalier de la charrette (l. 21-24) ?

c. Que pouvez-vous en conclure sur le caractère de chaque personnage ? Se ressemblent-ils ? Justifiez votre réponse.

L'épreuve chevaleresque

Le chevalier doit toujours choisir le chemin le plus dangereux.

6 **a.** Relevez dans cet épisode les termes et expressions appartenant au champ lexical de la difficulté et du danger.

b. À quelles épreuves les deux chevaliers vont-ils être confrontés ?

La quête amoureuse

7 **a.** Quels sont les symptômes de l'amour chez le chevalier de la charrette ? Quelle en est la conséquence sur sa conduite ?

b. De quel passage étudié précédemment pouvez-vous rapprocher les lignes 73 à 81 ?

L'enjeu du passage

8 Quel rôle la rencontre des chevaliers et de la demoiselle joue-t-elle dans le récit ? Cette rencontre fait-elle avancer l'action ? Pourquoi ?

9 Pour quelle raison Gauvain et son compagnon vont-ils se séparer ? Quelle peut être la conséquence de cette séparation pour l'action ?

Étudier la langue

Les modes et les temps des verbes

10 **a.** « Pourrais », « dirais », « faudrait », « voudrait », « attendraient » (l. 10-15) : à quel mode et à quel temps sont ces verbes ? Quelle est ici la valeur de ce mode ?

b. À quel mode et à quel temps sont les verbes « mettre » et « plaire » (l. 17-18) ?

c. Quelle différence de sens relevez-vous entre ces deux temps et modes ?

Écrire

Écrire un dialogue

11 Quelque temps plus tard, la demoiselle vient trouver les chevaliers et exige son dû. Imaginez ce qu'elle pourrait leur demander et racontez la scène en faisant part des réactions et des sentiments éprouvés par les personnages en présence.

Se documenter

La symbolique des lieux

Dans les romans arthuriens, la forêt revêt plusieurs fonctions : elle est souvent le lieu de l'aventure mais aussi celui de la solitude.

Ainsi dans *Perceval ou le Conte du Graal*, le parcours de Perceval commence dans la forêt avec la rencontre des chevaliers.

Dans *Le Chevalier de la Charrette*, c'est dans la forêt que le chevalier qui a lancé un défi au roi attend la reine et le chevalier susceptible de la défendre.

Dans *Yvain ou le Chevalier au Lion*, Yvain se réfugie dans la forêt après avoir été rejeté par sa dame et c'est là qu'il rencontre le lion qui deviendra son fidèle compagnon.

12 Connaissez-vous des récits dans lesquels la forêt est ainsi le lieu où le héros rencontre l'aventure ?

Le chevalier amoureux

Dans certains romans arthuriens le héros, lorsqu'il est amoureux, est tellement troublé qu'il tombe en extase et est souvent incapable, en présence de sa dame, de parler.

Dans le *Lancelot-Graal*, Lancelot reste muet devant Guenièvre la première fois qu'il l'aperçoit :

« Alors la reine prit le beau damoisel par la main et lui demanda où il était né. Mais lui, au toucher de cette douce main, il tressaille comme un homme qui s'éveille, et ne réplique mot. "D'où êtes-vous ?" reprend la reine.

Il la regarde et lui dit en soupirant qu'il ne sait d'où. Elle lui demande comme il a nom, et il répond qu'il ne sait comme. À cela, elle vit bien qu'il était tout ébahi et hors de lui-même ; et certes elle n'osait imaginer que ce fût à cause d'elle ; pourtant elle en avait quelque soupçon. »

« Les amours de Lancelot du Lac », *Les Romans de la Table Ronde*, adaptation de J. Boulenger, éd. Terre de Brume, Rennes, 1989.

Lancelot et une demoiselle, enluminure de 1274.

De même Perceval s'abandonne à la contemplation d'un dessin qui est tracé sur la neige par des gouttes de sang et qui lui rappelle le visage de sa dame :

« Tout à cette contemplation il s'imaginait, dans son ravissement, voir les fraîches couleurs du visage de sa belle amie. Perceval passa tout le début de la matinée à rêver sur les gouttes de sang, jusqu'au moment où sortirent des tentes les écuyers. Le voyant plongé dans cette rêverie, ils crurent qu'il était endormi. »

Chrétien de Troyes, *Perceval ou le conte du Graal*, La Pléiade, Gallimard, 1994.

Extrait 5

« Celui qui soulèvera cette dalle à lui tout seul... »

En chemin, après avoir vaincu et laissé libre un chevalier qui lui interdisait le passage d'un gué, le chevalier de la charrette rencontre une demoiselle qui lui offre l'hospitalité à condition qu'il passe la nuit avec elle. Le chevalier accepte à contrecœur mais, arrivé chez elle, réussit à être délivré de sa promesse. Le lendemain, la demoiselle décide de faire route avec son hôte. Près d'une fontaine, ils ramassent un peigne en ivoire qui appartient à la reine Guenièvre.
Plus loin, un chevalier amoureux de la demoiselle tente de l'enlever mais le chevalier de la charrette s'interpose. Le père du prétendant éconduit empêche alors son fils de livrer combat. Le chevalier de la charrette repart, accompagné de la demoiselle.

Ils ont chevauché à travers un pré fauché, et il est midi quand ils découvrent en un très beau site une église avec, derrière le chœur, un cimetière entouré de murs. N'étant ni vilain[1] ni sot, le chevalier est entré à pied dans l'église pour prier Dieu. Et
5 la demoiselle lui a tenu son cheval jusqu'à son retour. Sa prière achevée, il revenait sur ses pas quand il aperçut un moine très âgé venant à sa rencontre. Arrivé près de lui il le pria très poliment de lui dire ce qu'il y avait là, car il ne le savait pas. Le moine lui répondit que c'était un cimetière ; alors il reprit :
10 « Conduisez-moi là-bas, et que Dieu vous assiste !
– Volontiers, seigneur. »

| **1.** Homme grossier.

Alors il l'y emmène. Il le conduit donc dans le cimetière entre les plus belles tombes qu'on puisse trouver jusque dans la Dombes[2], et de là jusqu'à Pampelune[3]. Sur chacune d'entre

15 elles était inscrit le nom de celui qui un jour y reposerait. Lui-même commença à lire ces noms les uns après les autres et put déchiffrer : ICI REPOSERA GAUVAIN, ICI LOHOLT, ICI YVAIN. Après ces trois noms il lut ceux de beaucoup d'autres chevaliers d'élite, parmi les plus estimés et les meilleurs de ce pays

20 et d'ailleurs. Parmi les tombes il en découvre une de marbre qui semble, comme œuvre d'art, la plus belle de toutes. Le chevalier appelle le moine et dit :

« Les tombes que voici, quelle en est la destination ?

– Vous avez lu les inscriptions, répond-il, et vous avez

25 compris ce qu'elles disaient ; vous savez donc bien ce qu'elles veulent dire et la signification des tombes.

– Et la plus grande que voilà, dites-moi, quelle est sa destination ?

– Je vais vous l'expliquer, répond l'ermite. C'est un tombeau

30 qui surpasse tous les ouvrages antérieurs. Jamais on n'en a vu un aussi richement sculpté ; il est plus beau à l'intérieur qu'à l'extérieur. Mais abandonnez l'idée, qui ne pourrait être par vous réalisée, de regarder l'intérieur. Pour le mettre au jour, il faudrait sept hommes des plus robustes et des plus grands

35 afin d'ouvrir la tombe, car elle est recouverte d'une lourde dalle. Oui, sachez bien, c'est une chose certaine, il y faudrait sept hommes plus forts que vous et moi. Il y a une inscription qui dit : *Celui qui soulèvera cette dalle à lui tout seul libérera ceux et celles qui sont retenus prisonniers en cette terre*[4]

40 *dont nul ne peut sortir, même clerc ou gentilhomme, une fois qu'il y est entré. Nul n'en est encore revenu. On y retient*

---

2. Région située entre le Jura et le Beaujolais.
3. Province de Navarre.

4. Il s'agit du royaume de Gorre, lieu où le chevalier étranger a conduit la reine.

*prisonniers les étrangers tandis que les habitants du pays vont
et viennent, entrent et sortent à loisir.* [5] »

45   Aussitôt le chevalier va saisir la dalle, il la soulève sans peine,
plus aisément que ne l'auraient fait dix hommes en y mettant
toutes leurs forces. Le moine en est si étonné qu'il manque
de tomber à la renverse à la vue d'un tel prodige. Il ne pensait
voir une telle merveille [6] de toute sa vie.

« Seigneur, dit-il, j'ai grand désir de connaître votre nom ;
50   pourriez-vous me le dire ?

– Moi, non, ma foi ! fait le chevalier.

– Vraiment, je le regrette, fait-il ; mais si vous me le disiez,
ce serait faire preuve d'une grande courtoisie, et puis vous
pourriez y trouver avantage. D'où êtes-vous, de quel pays ?

55   – Je suis un chevalier, vous le voyez, et par ma naissance j'appartiens
au royaume de Logres [7]. J'aimerais que vous vous
contentiez de cela. Mais vous, s'il vous plaît, redites-moi qui
sera couché dans ce tombeau ?

– Seigneur, celui qui délivrera tous ceux qui sont pris au piège
60   du royaume dont nul n'échappe. »

Le moine ayant dit tout ce qu'il pouvait dire, le chevalier l'a
recommandé à Dieu et à tous ses saints. Ensuite il est revenu à
la demoiselle, accompagné par le vieux moine aux cheveux blancs
jusqu'à l'extérieur de l'église. Les voilà revenus sur la route, et
65   tandis que la jeune fille remontait à cheval, le moine raconta
tout ce que le chevalier avait fait là-bas, la priant de lui apprendre
son nom, si elle le savait. Elle dut lui avouer que non ; elle osa
seulement lui assurer qu'il n'y avait pas au monde un chevalier
qui fût son égal aussi loin que soufflent les quatre vents.

70   Là-dessus la jeune fille le quitte et s'élance à la suite du chevalier.

5. Comme il leur plaît.
6. Prodige à la limite du surnaturel.
7. Royaume du roi Arthur, conquis sur les ogres et les géants.

Lancelot soulevant la lame d'une tombe,
enluminure du XVᵉ siècle.

Repérer et analyser

Le cadre spatio-temporel

1 Dans quel lieu le chevalier et la demoiselle arrivent-ils ?

2 À quel moment de la journée atteignent-ils cet endroit ?

Le parcours du héros

L'épreuve qualifiante

3 **a.** Quelle épreuve le chevalier réussit-il ?

b. En quoi son comportement se rapproche-t-il de celui qu'il a eu devant le lit périlleux (extrait 3) ?

c. Quels personnages lui servent de témoins ?

4 **a.** Montrez que l'épreuve accomplie suppose une force surhumaine.

b. Relevez dans les lignes 44 à 48 deux termes qui montrent que l'exploit du chevalier relève du surnaturel.

c. Comment réagissent le moine et la demoiselle face à cet exploit ?

d. En quoi l'épreuve contribue-t-elle à la glorification du chevalier ?

La rencontre avec le moine

5 Quelle est la caractéristique essentielle du moine ? Citez des expressions précises.

6 **a.** Quelles sont les trois principales questions que le chevalier pose au moine ?

b. Le moine y répond-il clairement ? Montrez qu'il révèle en partie au chevalier la véritable signification de l'épreuve.

7 Le moine interroge lui aussi : à qui pose-t-il des questions ? Que cherche-t-il essentiellement à savoir ?

L'identité du chevalier

8 **a.** Comment le chevalier répond-il aux questions sur son nom et son origine ?

b. S'étend-il sur le sujet ? Pour répondre, étudiez le type de phrase, leur longueur et les tournures utilisées.

c. Quelle est la seule information qu'il fournit ?

Le royaume de Logres

Dans *Le Chevalier de la Charrette* et *Perceval ou le Conte du Graal* de Chrétien de Troyes, le royaume de Logres désigne le royaume du roi Arthur.

Dans *Perceval* on apprend que « le royaume de Logres fut jadis le pays des ogres », sur lesquels Arthur aurait conquis son royaume.

9   Où se situe le royaume de Logres ? Citez quelques villes ou châteaux de ce royaume. Pour répondre, reportez-vous à la carte p. 4.

Les éléments merveilleux et symboliques

La tombe merveilleuse

10   **a.** Qu'est-ce qui distingue ce cimetière des autres cimetières ? En quoi est-il un espace merveilleux ?

b. Quelles tombes le chevalier découvre-t-il ? Qui sont les personnages mentionnés ?

11   L'hyperbole

L'hyperbole est une figure de style qui consiste à exagérer la réalité de façon à frapper l'imagination.

a. Relevez les expressions hyperboliques qui décrivent la tombe. Quelles sont les caractéristiques de cette tombe ?

b. Quelle inscription figure sur cette tombe ?

Le royaume de Gorre

Ce royaume semble inaccessible car il est entouré d'une eau que seuls deux ponts dangereux permettent de franchir. Il ressemble ainsi au royaume des morts que l'on atteignait en franchissant le Styx. Son nom rappelle le substantif *ogre*.

12   Quelle est la caractéristique du royaume de Gorre mise en avant dans ce passage ? Appuyez-vous sur l'inscription qui figure sur la tombe et sur les paroles du moine.

La religion chrétienne

La religion chrétienne tient une place prépondérante dans les romans arthuriens. Le roi Arthur tient sa cour lors des grandes fêtes religieuses, la Dame du Lac explique à Lancelot que la chevalerie a pour mission essentielle de protéger l'Église et le Graal sera la grande quête à laquelle se voueront les chevaliers de la Table Ronde.

13 Montrez que le chevalier est respectueux de la religion.

L'enjeu du passage

14 En quoi cette épreuve modifie-t-elle la quête de Lancelot?

15 Pour quelle raison cet épisode est-il essentiel? Montrez qu'il a une fonction prophétique et qu'il constitue une anticipation (voir p. 25).

Se documenter

Le motif du nom

Dans les romans arthuriens, certains chevaliers ne peuvent ou ne veulent pas révéler leur nom.

Dans *Perceval ou le Conte du Graal*, le jeune homme est d'abord désigné par les expressions « le fils de la Veuve » ou « valet » (jeune homme); sa mère l'appelle « Beau fils »; ce n'est que plus tard que lui-même apprendra son nom: « "Quel est votre nom, mon ami?" Et lui, qui ne connaissait pas son nom, le devina comme par enchantement et dit qu'il s'appelait Perceval le Gallois, sans être sûr de dire la vérité, mais il dit vrai, sans le savoir. »

Dans *Le Chevalier au Lion*, Yvain, après avoir été rejeté par son épouse, refuse de donner son nom car il ne se sent plus digne de le porter et adopte le surnom de Chevalier au Lion.

Sans nom au début du roman *Le Chevalier de la Charrette*, le chevalier inconnu est affublé d'un surnom déshonorant dès le moment où il monte sur la charrette. De plus lorsqu'on lui demande son nom, comme le fait le moine dans cet épisode, le chevalier refuse de le révéler. L'inscription sur la tombe elle-même le désigne par l'expression « Celui qui soulèvera cette dalle à lui tout seul ».

16 Recherchez à votre tour des héros de la mythologie, de romans ou de films qui taisent ainsi leur nom.

Extrait 6

« Seigneur, nous sommes de la même terre que vous »

La demoiselle tente par tous les moyens de connaître le nom du chevalier de la charrette mais ce dernier refuse de le révéler ; elle décide alors de rebrousser chemin.

Après vêpres [1], à l'heure de complies [2], alors qu'il était encore en route, il vit arriver un chevalier sortant d'un bois où il avait chassé. Il arrivait, heaume lacé, avec la venaison [3] que Dieu lui avait donnée chargée sur son grand cheval de chasse couleur
5 gris fer. Ce vavasseur [4] se porta rapidement à la rencontre de notre chevalier pour le prier de venir se loger chez lui :

« Seigneur, dit-il, il va bientôt faire nuit. Le moment est venu de se loger, il est raisonnable de s'en occuper. J'ai une maison tout près d'ici où je vais vous conduire. Jamais vous n'aurez
10 reçu une meilleure hospitalité que celle que je vais vous offrir dans la mesure de mes moyens. Si vous acceptez j'en serai très heureux.

– Moi aussi j'en suis très heureux », répond-il.

Le vavasseur envoya aussitôt son fils en avant, pour arranger
15 le logement et hâter les préparatifs du repas. Et le jeune homme ne traîna pas mais, obéissant très volontiers et joyeusement à cet ordre, partit à toute allure. De leur côté les deux chevaliers, qui n'avaient pas besoin de se presser, ont fait route après lui pour finalement arriver au logis. Le vavasseur avait pour

---

1. Heure de la messe célébrée au coucher du soleil.
2. Dernière partie de l'office qui se chante après les vêpres.

3. Gibier.
4. Noble, vassal d'un vassal et qui n'est suzerain de personne.

Richard Gere est Lancelot dans le film réalisé par Jerry Zucker,
Lancelot le premier Chevalier (1995).

20 épouse une dame de bonne éducation, et il avait aussi cinq fils
qu'il chérissait[5] beaucoup, dont deux déjà chevaliers et trois
encore apprentis, ainsi que deux filles gentilles et belles qui
n'étaient pas encore mariées. Ce n'était pas des gens du pays,
mais ils y étaient détenus comme prisonniers depuis longtemps,
25 car ils étaient originaires du royaume de Logres. Le vavasseur
ayant conduit le chevalier dans la cour du manoir, la dame
accourut à leur rencontre ; ses fils et ses filles s'élancèrent à
sa suite et tous offrirent leurs services. Ils le saluent et l'ai-
dent à descendre tandis que le maître de maison est un peu
30 négligé par les sœurs et les cinq frères, qui savent bien que leur
père veut qu'ils se comportent de cette manière. Ils prodiguent[6]

5. Aimait.
6. Donnent généreusement.

donc à leur hôte marques d'honneur et de sympathie. Quand
il eut été désarmé, il reçut le manteau d'une des filles de son
hôte qui l'enleva de ses propres épaules pour l'en revêtir. S'il
35 fut bien servi à table, ce n'est pas la peine de le dire. Mais je
dirai qu'après manger on n'eut aucune difficulté à trouver
divers sujets de conversation. D'abord le vavasseur commença
par demander à son hôte qui il était, de quel pays, sans cependant s'enquérir de son nom. Il répondit sur-le-champ :

40 « Je suis du royaume de Logres, je n'ai jamais été dans ce
pays. »

En entendant cette réponse, le vavasseur ainsi que sa femme
et tous ses enfants furent saisis d'étonnement : aucun n'échappe
à un sentiment d'angoisse. D'entrée de jeu, ils lui déclarent :

45 « C'est pour votre malheur que vous êtes venu, beau doux
seigneur, comme c'est dommage pour vous ! Car désormais
vous serez comme nous esclave et exilé.

– Et d'où êtes-vous donc ? fait-il.

– Seigneur, nous sommes de la même terre que vous. En ce pays
50 on trouve beaucoup de nobles personnes de votre terre qui sont
retenues en servitude. Maudite soit cette coutume et ceux qui la
maintiennent en usage, coutume selon laquelle tout étranger
qui vient par ici est obligé de rester comme attaché à cette terre !
Car qui le veut peut entrer, mais il lui faut rester. Votre propre
55 sort est tout réglé : vous n'en sortirez, je pense, jamais.

– Mais si, je sortirai, dit-il, je ferai mon possible. »

Le vavasseur reprend :

« Comment ? Pensez-vous en sortir ?

– Oui, s'il plaît à Dieu ; je ferai pour cela tout ce qui est en
60 mon pouvoir.

– En ce cas, tous les autres pourraient sans crainte quitter
le pays librement ; car une fois que l'un d'entre nous sera sorti,
en tout bien tout honneur, de cette prison, tous les autres, à
coup sûr, pourront en sortir sans obstacle. »

65   Alors le vavasseur se souvient d'une rumeur qu'on lui avait rapportée : qu'un chevalier de grande valeur forçait son chemin dans le pays en quête de la reine que détenait Méléagant, le fils du roi ; et il se dit : « Je pense, je crois vraiment que c'est lui, et je vais donc le lui dire. »

70   Alors il reprit la parole :

« Ne me cachez rien, seigneur, de votre entreprise, et en échange je vous promets de vous donner le meilleur conseil que je pourrai. Moi-même j'aurai tout à gagner si vous réussissez. Révélez-moi la vérité pour votre profit et le mien. Si vous êtes venu en

75 ce pays, j'en suis persuadé, c'est à cause de la reine, au milieu de cette race d'infidèles pires que les Sarrasins[7] eux-mêmes. »

Alors le chevalier répond :

« Je ne suis pas venu pour autre chose. Je ne sais où ma dame est enfermée, mais je n'ai qu'une chose en tête, la

80 secourir, et j'ai grand besoin de conseil. Conseillez-moi, si vous le pouvez.

– Seigneur, répond-il, vous avez entamé une voie très difficile. Cette route où vous vous trouvez conduit tout droit au Pont de l'Épée. Ce serait le moment d'écouter un bon conseil :

85 si vous vouliez me croire, vous iriez au Pont de l'Épée par un chemin plus sûr, et je vous y ferais conduire. »

Mais lui, qui ne désire que le plus court chemin, demande :

« Est-ce que la route dont vous me parlez est aussi directe que celle qui passe par ici ?

90   – Non, répond-il, c'est une route plus longue, mais plus sûre.

– Cela ne m'intéresse pas ; dites-moi ce que vous savez sur cette route-ci, car c'est elle que je suis prêt à affronter.

– Seigneur, vous n'y aurez aucun avantage ; en prenant cet autre itinéraire, vous arriverez demain à un passage qui pourra

---

| **7.** Ennemis traditionnels de la Chrétienté dans les chansons de geste.

95 vite tourner mal pour vous ; son nom : le Passage des Pierres.
Voulez-vous que je vous dise aussi combien ce passage est
dangereux ? Il n'a que la largeur d'un cheval ; deux hommes
ne pourraient y passer de front[8], et le passage est bien gardé
et bien défendu. On ne vous le livrera pas dès votre arrivée.
100 Vous recevrez maint coup d'épée et de lance, et vous devrez
en rendre beaucoup avant d'arriver de l'autre côté. »

Quand il eut terminé son exposé, un chevalier s'avança ;
c'était un des fils du vavasseur, et il dit :

« Père, j'irai avec ce seigneur, si vous le permettez. »

105 Alors un des jeunes apprentis chevaliers se lève et dit :

« Moi aussi, j'irai. »

Et le père leur donne son accord bien volontiers à tous les
deux. Maintenant le chevalier n'ira pas tout seul, et il les en
remercie, car il apprécie beaucoup leur compagnie. Sur ce la
110 conversation prit fin et on emmena se coucher le chevalier. Il
put dormir tout son soûl[9]. Dès qu'il aperçut la clarté du jour
il se leva, ce que voyant ceux qui devaient aller avec lui, ils se
levèrent aussitôt. Une fois équipés et armés les chevaliers
prirent congé puis se mirent en route.

| **8.** Côte à côte. | **9.** Autant qu'il en eut envie.

Questions

Repérer et analyser

Le narrateur

1 Relevez les interventions du narrateur dans cet extrait.
À quels propos les fait-il ? Quel est l'effet produit sur le public par ces interventions ?

> On parle de *point de vue omniscient* lorsque le narrateur témoigne d'une connaissance parfaite des personnages, des lieux, des événements…

2 Quelles informations le narrateur fournit-il sur le vavasseur ?

Le cadre spatio-temporel

3 **a.** À quel moment de la journée le chevalier rencontre-t-il le vavasseur ? Pour quelle raison ce dernier l'invite-t-il chez lui ?
b. Combien de temps le chevalier va-t-il rester chez le vavasseur ?
c. Montrez en citant le texte que le chevalier va reprendre des forces durant la nuit.

4 **a.** Cherchez le sens du mot « manoir » (l. 26).
b. Dans quel pays se trouve le manoir du vavasseur ?

L'hospitalité

5 Quels sont les deux sens que revêt le mot « hôte » (l. 32 et 34) ?
6 **a.** Relevez les diverses marques de l'hospitalité témoignée au chevalier.
b. Comment pourrait-on qualifier cet accueil ?
c. Relevez une marque de discrétion du vavasseur vis-à-vis de son hôte. Pour quelle raison le narrateur insiste-t-il sur ce détail ? Pour répondre, reportez-vous à l'extrait 5 (l. 49-58).

7 **a.** Quels détails indiquent que le chevalier de la charrette apprécie ses hôtes ?
b. Pour quelles raisons les apprécie-t-il ?

Le parcours du héros

La valeur chevaleresque

8 a. Quels sentiments le vavasseur éprouve-t-il tout d'abord en apprenant que le chevalier appartient au royaume de Logres (l. 42-55) ?

b. De quelle rumeur le vavasseur se souvient-il ensuite ?

9 a. Comment le chevalier est-il alors perçu par le vavasseur et sa famille ? Appuyez-vous sur des exemples précis.

b. Le chevalier était-il considéré de la même façon dans le premier château où il a été hébergé avec Gauvain (extrait 3) ?

c. Comment expliquez-vous cette évolution ?

Le choix du danger

10 Quels arguments le vavasseur utilise-t-il pour convaincre le chevalier de suivre un autre chemin que celui qu'il a prévu ?

11 a. De quelle façon le chevalier de la charrette répond-il aux inquiétudes du vavasseur (l. 56-60 et 88-92) ? Pour répondre, étudiez le type de phrase, le temps des verbes, la longueur des répliques.

b. Pourquoi le chevalier ne veut-il pas écouter ces conseils ?

12 a. Quels obstacles vont se dresser sur le chemin du chevalier avant qu'il n'atteigne le Pont de l'Épée ?

b. Quels personnages vont l'aider dans sa quête ?

La quête amoureuse

13 Par quelle expression le chevalier désigne-t-il la reine ? Que révèle cette façon de la nommer ?

Les éléments merveilleux

« *La coutume*, loi orale et non écrite, tire sa force de son ancienneté et de son approbation par une communauté donnée… Souvent, ces coutumes sont liées au franchissement d'une frontière, matérialisée par une fontaine, un gué ou les remparts d'un château… », note de D. Poirion, éd. La Pléiade, p. 1476.

Le roi Arthur est le garant des coutumes du royaume de Logres. Mais à côté de bonnes coutumes qui préservent l'honneur de la chevalerie, certaines sont injustes.

14 **a.** D'où viennent le vavasseur et sa famille ? Pourquoi sont-ils dans ce manoir ?

b. Quelle coutume les empêche de retourner chez eux ?

c. Pour quelle raison le vavasseur dit-il au chevalier : « Moi-même j'aurai tout à gagner si vous réussissez » (l. 73) ?

L'enjeu du passage

15 **a.** En quoi le sort de la reine est-il lié à celui des prisonniers du royaume de Gorre ?

b. Comment la mission du chevalier se précise-t-elle ?

Écrire

Écrire une scène du roman

16 Imaginez à la suite de quelles circonstances le vavasseur et sa famille se sont retrouvés piégés dans le royaume de Gorre.

Vous introduirez une description du lieu où les personnages sont prisonniers et insisterez sur les sentiments qu'ils éprouvent. Respectez l'atmosphère de l'époque en utilisant des mots et expressions figurant dans les textes du Moyen Âge que vous avez étudiés.

Extrait 7

« Ils arrivèrent au Pont de l'Épée vers le soir »

*Après avoir vaincu les gardiens du Passage des Pierres, le cheva-
lier, escorté des fils du vavasseur, apprend que les gens du royaume
de Logres prisonniers du royaume de Gorre se sont révoltés
contre leurs geôliers lorsqu'ils ont su qu'un chevalier inconnu
venait leur porter secours. Le chevalier de la charrette et ses
compagnons se lancent dans la bataille qui se transforme en
déroute pour les gens de Gorre et s'arrête à la tombée de la nuit.
Le lendemain soir, alors qu'ils sont reçus dans un manoir, un
chevalier vient défier le chevalier de la charrette en lui rappelant l'infamie qu'il a commise en montant dans la charrette.
Ils engagent alors un combat duquel, une fois de plus, le chevalier de la charrette sort vainqueur.
Au matin, le chevalier et les fils du vavasseur se remettent en
selle et se dirigent vers le Pont de l'Épée.*

Ils allèrent cheminant sur la route la plus directe jusqu'à la
chute du jour, et ils arrivèrent au Pont de l'Épée vers le soir,
passée la neuvième heure[1]. À l'entrée de ce pont, qui était si
terrible, ils descendirent de leur cheval et regardèrent l'eau
5 traîtresse, noire, bruyante, rapide et chargée, si laide et épou-
vantable que l'on aurait dit le fleuve du diable ; elle était si
périlleuse et profonde que toute créature de ce monde, si elle
y était tombée, aurait été aussi perdue que dans la mer salée.
Et le pont qui la traversait était bien différent de tous les autres
10 ponts ; on n'en a jamais vu, on n'en verra jamais de tel. Si vous

| 1. Neuvième heure en partant de 6 h du matin, ce qui correspond à 3 h de l'après-midi.

voulez savoir la vérité à ce sujet, il n'y a jamais eu d'aussi
mauvais pont, fait d'une aussi mauvaise planche : c'était une
épée aiguisée et étincelante qui formait ce pont jeté au-dessus
de l'eau froide ; mais l'épée, solide et rigide, avait la longueur
15 de deux lances. De part et d'autre il y avait un grand pilier de
bois où l'épée était clouée. Personne n'avait à craindre qu'elle
se brise ou qu'elle plie, car elle avait été si bien faite qu'elle
pouvait supporter un lourd fardeau. Mais ce qui achevait de
démoraliser les deux compagnons qui étaient venus avec le
20 chevalier, c'était l'apparition de deux lions, ou deux léopards,
à la tête du pont de l'autre côté de l'eau, attachés à une borne
en pierre. L'eau, le pont et les lions leur inspiraient une telle
frayeur qu'ils tremblaient de peur et disaient :
    « Seigneur, écoutez un bon conseil sur ce que vous voyez,
25 car vous en avez grand besoin. Voilà un pont mal fait, mal
assemblé, et bien mal charpenté. Si vous ne vous repentez
pas tant qu'il en est encore temps, après il sera trop tard pour
le faire. Il faut montrer de la circonspection [2] en plus d'une
circonstance. Admettons que vous soyez passé (hypothèse
30 aussi invraisemblable que d'empêcher les vents de souffler, les
oiseaux de chanter, ou que de voir entrer un être humain dans
le ventre de sa mère pour renaître ensuite ; une chose donc
aussi impossible que de vider la mer). Comment pouvez-vous
en toute certitude penser que ces deux lions enragés, enchaînés
35 de l'autre côté, ne vont pas vous tuer, vous boire le sang des
veines, manger votre chair et puis ronger vos os ? Il me faut
déjà beaucoup de courage pour oser jeter les yeux sur eux et
les regarder. Si vous ne vous méfiez pas ils vous tueront, sachez-
le bien. Ils auront vite fait de vous briser et de vous arracher
40 les membres, et ils seront sans merci. Mais allons, ayez pitié

| **2.** Prudence.

de vous-même, et restez avec nous ! Vous seriez coupable envers vous-même si vous vous mettiez si certainement en péril de mort, de propos délibéré[3]. »

Alors il leur répondit en riant :

45 « Seigneurs, je vous sais gré[4] de vous émouvoir ainsi pour moi ; c'est l'affection et la générosité qui vous inspirent. Je sais bien que vous ne souhaiteriez en aucune façon mon malheur ; mais ma foi en Dieu me fait croire qu'Il me protégera partout : je n'ai pas plus peur de ce pont ni de cette eau que de cette

50 terre dure, et je vais risquer la traversée et m'y préparer. Plutôt mourir que faire demi-tour ! »

Ils ne savent plus que dire, mais la pitié les fait pleurer et soupirer tous deux très durement. Quant à lui, il fait de son mieux pour se préparer à traverser le gouffre. Pour cela il

55 prend d'étranges dispositions, car il dégarnit ses pieds et ses mains de leur armure : il n'arrivera pas indemne ni en bon état de l'autre côté ! Mais ainsi il se tiendra bien sur l'épée plus tranchante qu'une faux, de ses mains nues, et débarrassé de ce qui aurait pu gêner ses pieds : souliers, chausses et avant-

60 pieds[5]. Il ne se laissait guère émouvoir par les blessures qu'il pourrait se faire aux mains et aux pieds ; il préférait se mutiler que de tomber du pont et prendre un bain forcé dans cette eau dont il ne pourrait jamais sortir. Au prix de cette terrible douleur qu'il doit subir, et d'une grande peine, il commence

65 la traversée ; il se blesse aux mains, aux genoux, aux pieds, mais il trouve soulagement et guérison en Amour qui le conduit et mène, lui faisant trouver douce cette souffrance. S'aidant de ses mains, de ses pieds et de ses genoux, il fait tant et si bien qu'il arrive sur l'autre rive. Alors lui revient le

70 souvenir des deux lions qu'il pensait avoir vus quand il était

---

3. Volontairement.
4. Je vous suis reconnaissant.

5. Bande de cuir ou de tissu protégeant le coup de pied et le dessus du pied.

Lancelot passant le Pont de l'Épée,
enluminure du XVe siècle.

encore de l'autre côté ; il cherche du regard, mais il n'y avait même pas un lézard, ni aucune créature susceptible de lui faire du mal. Il met sa main devant son visage pour regarder son anneau et il a la preuve, comme il n'y apparaît aucun des deux
75 lions qu'il pensait avoir vus, qu'il a été victime d'un enchantement, car il n'y a là âme qui vive[6]. Quant à ceux qui sont restés sur l'autre rive, voyant qu'il a ainsi traversé, ils se réjouissent comme il est bien normal ; toutefois ils ne savent rien de ses blessures. Mais lui considère s'en être tiré à bon compte
80 pour n'avoir pas subi là plus de dommage. Il étanche[7] sur tout son corps le sang de ses blessures avec sa chemise. Alors il voit devant lui une tour si solidement construite qu'il n'en a jamais vu d'aussi impressionnante. À une fenêtre s'était appuyé le roi Bademagu qui était très subtil[8], avec un sens aigu de l'hon-
85 neur et du bien, et dont le plus grand souci était de défendre et pratiquer partout la loyauté ; mais son fils, qui mettait tout son zèle à faire tout le contraire en toute circonstance, prenant plaisir à se montrer déloyal, et ne se fatiguant ni ne s'ennuyant jamais dans le mal, la trahison et le crime, s'était appuyé à ses
90 côtés. De leur observatoire ils avaient vu le chevalier passer le pont au prix de grandes souffrances et douleurs. La colère et la contrariété firent changer Méléagant de couleur. Il savait bien qu'on allait désormais lui disputer la reine ; mais c'était un chevalier qui par nature ne redoutait la force ni la fureur
95 de personne, si grandes fussent-elles. Il aurait été le meilleur chevalier du monde s'il n'avait pas été traître et déloyal ; mais il avait un cœur de pierre, sans tendresse et sans pitié. Son père se satisfait et se réjouit de ce qui attriste beaucoup son fils. Le roi savait en toute certitude que celui qui avait traversé

---

6. Il n'y a personne.
7. Essuie.

8. Fin, perspicace.

100 le pont était de beaucoup le plus courageux du monde ; car
jamais ce passage n'aurait pu être tenté par une personne abri-
tant en soi ce genre de lâcheté qui cause plus de honte à ses
proches que la prouesse ne leur fait honneur. C'est que
Prouesse n'a pas autant de pouvoir que Lâcheté et Paresse,
105 car il est vrai, n'en doutez pas, qu'il est plus facile de mal
agir que de bien faire.

J'aurais beaucoup à dire sur ces deux sujets, mais cela me
prendrait trop de temps ; j'ai en tête une autre préoccupation
et je retourne au texte de mon histoire ; vous allez entendre
110 la façon dont le roi fait la leçon à son fils :

« Fils, fait-il, ce fut par hasard que nous sommes venus, toi
et moi, nous accouder à cette fenêtre ; nous avons été récom-
pensés puisque nous avons pu assister au plus grand exploit
qui ait jamais été réalisé, voire imaginé. Dis-moi, n'as-tu pas
115 de reconnaissance pour l'auteur d'une action aussi extraordinaire ? Allons, accorde-toi et arrange-toi avec lui, rends-lui
sans condition la reine ! Tu n'as rien de bon à attendre de cette
lutte, elle peut au contraire présenter pour toi de graves inconvénients. Conduis-toi de façon à passer pour sage et cour-
120 tois, et fais-lui conduire la reine avant qu'il ne te voie. Accueille-
le sur ton territoire avec honneur en lui accordant ce qu'il est
venu chercher avant qu'il ne te le demande. Car tu sais parfaitement bien que c'est la reine Guenièvre qu'il est venu chercher. Ne te fais pas tenir pour obstiné, fou, ou orgueilleux. S'il
125 est venu seul sur ton territoire, alors tu dois lui tenir compagnie. La noblesse doit attirer la noblesse, l'honorer, l'entre-
tenir gentiment, et non pas l'éloigner de soi. C'est en hono-
rant qu'on se rend honorable. Sache bien que l'honneur sera
pour toi si tu honores et aides celui qui est sans aucun doute
130 le meilleur chevalier du monde.

– Que Dieu me confonde, répond-il, s'il ne s'en trouve pas
d'aussi bon, voire de meilleur. »

Pourquoi l'a-t-on oublié, lui, Méléagant ? car il ne se juge pas inférieur à l'autre ! Et il ajoute :

135   « Vous voulez sans doute qu'au garde-à-vous et mains jointes je devienne son vassal [9] et lui rende hommage de ma terre [10] ? Que Dieu me vienne en aide, je préférerais encore lui rendre hommage que de lui rendre la reine. Assurément, jamais je ne la lui rendrai ; au contraire je la disputerai et la défendrai contre
140   tous ceux qui seront assez fous pour oser venir la chercher. »

Alors le roi reprend son argumentation :

« Fils, il serait courtois de ta part de renoncer à cette idée obstinée. Je te conseille et te prie de choisir une issue pacifique [11]. Tu sais bien que ce sera une déception pour le cheva-
145   lier de ne pas conquérir la reine en se battant avec toi. Il doit préférer, sans erreur possible, l'obtenir par les armes que par un geste de générosité, car ce sera mis au crédit de sa gloire. À mon avis, il ne demande pas une restitution pacifique, mais il veut l'obtenir par les armes. C'est pourquoi tu agirais sage-
150   ment en le privant de sa bataille. Je regrette beaucoup de te voir ainsi déraisonner. Mais si tu méprises mon conseil, je me sentirai moins concerné s'il t'arrive malheur – et il risque bien de t'en arriver un grand –, car le chevalier n'a rien à craindre ici de personne, sauf de toi. Au nom de tous mes
155   hommes et de moi-même, je lui accorde en effet la sauvegarde d'une trêve. Je n'ai jamais commis d'acte déloyal, ni de trahison, ni de félonie [12] et je ne vais pas commencer pour toi, pas plus que pour un étranger. Je ne cherche pas à te déguiser la vérité, mais je fais au chevalier la promesse expli-
160   cite [13] que tout ce dont il aura besoin, armes ou chevaux, il l'obtiendra du moment qu'il a fait preuve d'un tel courage

---

9. Homme lié à un seigneur, son suzerain, qui lui a concédé un fief.
10. Se déclare vassal de quelqu'un et reçoit sa terre de son suzerain.

11. Qui se passe dans la paix.
12. Traîtrise.
13. Claire.

en venant jusqu'ici. Sa sécurité sera assurée et observée par tout le monde sauf par toi. Ce que je veux bien te faire comprendre, c'est que s'il peut te résister il n'a rien à craindre
165 de personne d'autre.

– J'ai tout le temps pour vous écouter et garder le silence, fait Méléagant, pendant que vous direz tout ce qu'il vous plaira ; mais que m'importe tout ce que vous dites ? Je ne suis pas un ermite [14], ni un saint plein de charité, et je ne tiens pas
170 à la considération des gens au point de lui donner pour la mériter la personne que j'aime le plus. Il ne s'en tirera pas si rapidement ni si facilement. Les choses vont se passer tout autrement que vous et lui ne le pensez. Vous pouvez bien l'aider contre moi, ce n'est pas une raison pour nous fâcher. Si vous
175 et vos gens observez une trêve et la paix, que m'importe ? Il en faut plus pour ébranler mon courage ; mais je suis très content, et Dieu en soit loué, qu'il n'ait que moi à redouter, et je vous demande de ne rien faire pour moi où l'on puisse soupçonner une intention déloyale ou quelque trahison. Soyez
180 vertueux tant qu'il vous plaira, mais laissez-moi à ma cruauté.

– Comment ? Tu ne voudrais pas agir autrement ?

– Non, fait-il.

– Alors, je n'ai plus rien à dire. Maintenant fais de ton mieux, car je te laisse, et j'irai parler au chevalier. Je veux lui offrir aide
185 et conseil en toute chose, car je suis entièrement de son côté. »

Alors le roi descendit de la tour et fit seller son cheval. On lui amena un grand destrier. Il mit le pied à l'étrier et monta, emmenant pour toute escorte trois chevaliers et deux hommes d'armes, qui partirent avec lui. Ils allèrent sans s'arrêter
190 jusqu'au pont, où ils aperçurent le chevalier en train de panser ses plaies et d'en étancher le sang.

| **14.** Moine qui vit dans la solitude.

Questions

Repérer et analyser

Le narrateur et la conduite du récit

1 « Si vous voulez savoir la vérité à ce sujet » (l. 10-11) : de quel sujet s'agit-il ? Quel est l'intérêt de cette intervention ?

2 La digression

Une digression est un développement qui s'écarte du sujet.

À quel moment le narrateur aimerait-il faire une digression ?
Sur quel sujet ?

3 Relevez un terme qui montre que le narrateur s'adresse à un auditoire (l. 107-110).

4 Identifiez les deux grandes parties de ce passage.

Le cadre spatio-temporel

Le motif du pont et de la rivière : des lieux symboliques

Dans de nombreux romans de chevalerie, *la rivière* constitue un obstacle et symbolise la frontière entre le monde réel et un autre monde dangereux ou interdit.

5 **a.** Quels royaumes le pont relie-t-il ?
b. Quelle bâtisse le chevalier aperçoit-il de l'autre côté du pont ?

6 À quel moment de la journée l'action se déroule-t-elle ?

Dans l'Antiquité grecque, *le Styx* est le fleuve noir des enfers, lieu de passage entre le royaume des vivants et le royaume des morts.

7 En quoi la rivière peut-elle être assimilée au Styx ?

Le parcours du héros

Le défi et la recherche du danger

8 Quels sont les compagnons du chevalier ? Par quels arguments cherchent-ils à le convaincre de renoncer à passer le pont ?

9 **a.** Pourquoi le chevalier leur répond-il en riant (l. 44-51) ?
De quelles qualités fait-il preuve ?
b. Dans quel but veut-il passer ce pont ? Quelle quête poursuit-il ?

La prouesse et la quête

10 **a.** Quelles sont les caractéristiques du pont que doit franchir le chevalier ?

b. Relevez les comparaisons qui soulignent l'aspect infranchissable de l'eau qui coule sous le pont (l. 3-8).

c. En quoi l'exploit est-il particulièrement difficile ? Comment le chevalier s'y prend-il pour réussir ?

d. Qui sont les témoins de cette prouesse ?

11 **a.** Comment expliquez-vous que la souffrance semble douce au chevalier ?

b. Relevez les termes qui apparentent l'Amour à une personne vivante (l. 66-67).

Les rapports père-fils : Bademagu et Méléagant

Des valeurs opposées

12 **a.** Relevez les termes qui caractérisent le roi Bademagu et son fils Méléagant.

b. Quelles sont les qualités qui manquent à Méléagant pour être le meilleur chevalier du monde ?

c. Montrez que le père et le fils obéissent à des valeurs opposées. Que semble symboliser chacun d'eux ?

13 **a.** Quelle est la raison du conflit qui les oppose ?

b. Que pense le roi de l'attitude de son fils (l. 111-130) ? Relevez la phrase qui résume le mieux ce qu'il éprouve.

L'argumentation

14 **a.** De quoi le roi veut-il convaincre Méléagant ?

b. À quels arguments recourt-il d'abord pour tenter de persuader son fils (l. 111-130) ?

c. À quel mode sont la plupart des verbes dans les lignes 114 à 130 ? Quelle est ici la valeur de ce mode ?

d. Relevez dans les lignes 124 à 127 une tournure qui a la même valeur que ce mode.

15 **a.** Quelle tactique le roi adopte-t-il devant l'obstination de son fils (l. 144-150) ?

b. Comment compte-t-il se comporter envers le chevalier ?

16 Méléagant se laisse-t-il convaincre par Bademagu ? Relevez quelques expressions qui soulignent la détermination du fils du roi.

Les éléments merveilleux

> Dans le récit, le rapport au merveilleux est mêlé de doute et d'incertitude ce qui crée une dimension fantastique.

17 **a.** Quels êtres merveilleux semblent se dresser de l'autre côté du pont ? Quel effet ces êtres produisent-ils sur les compagnons du chevalier ?
Montrez en citant le texte que le narrateur prend du recul par rapport au merveilleux en insinuant un doute.

b. Quel objet magique le chevalier de la charrette possède-t-il ? À quoi lui sert-il ?

L'enjeu du passage

18 **a.** Quel parti le roi prend-il à la fin du passage ?

b. Comment le roi considère-t-il à présent le chevalier de la charrette ? Relevez la phrase qui l'indique.

Écrire

Faire un portrait

19 En vous appuyant sur les réponses précédentes, brossez en quelques lignes le portrait physique et moral de Méléagant en songeant à l'impression que ce chevalier doit produire sur le lecteur. Vous introduirez une intervention du narrateur, à la manière de Chrétien de Troyes.

Enquêter

Les fleuves dans la littérature

20 Recherchez dans la mythologie et dans la littérature des fleuves aussi dangereux que celui que franchit le chevalier et indiquez leurs caractéristiques.

L'objet merveilleux

L'anneau est un objet merveilleux que l'on rencontre à plusieurs reprises dans les romans arthuriens.

Dans *Yvain ou le Chevalier au Lion* de Chrétien de Troyes, Lunette donne à Yvain pris au piège dans un château un anneau qui le rend invisible :

« ... "vous allez prendre mon petit anneau que voici et me le rendrez, s'il vous plaît, quand je vous aurai délivré." Elle lui donne alors l'anneau : il a, dit-elle, la même vertu que l'écorce qui recouvre l'aubier si parfaitement qu'il est invisible ; mais il faut prendre garde, en le passant au doigt, que la pierre soit cachée dans le poing fermé ; alors il n'a plus rien à craindre, celui qui porte cet anneau : même les yeux écarquillés, on ne saurait l'apercevoir... » (éditions Honoré Champion, 1972).

21 Connaissez-vous des légendes et des textes qui font allusion à un anneau ayant des propriétés merveilleuses ?

Extrait 8

« On a conduit sur la place les deux combattants en armes »

Le roi fait bon accueil au chevalier et tente de le convaincre
d'attendre d'être rétabli avant d'affronter Méléagant. Devant
le refus obstiné du chevalier, Bademagu l'emmène au château
où il le fait soigner. Le roi essaie une nouvelle fois de persuader
son fils de faire la paix avec le chevalier et de libérer Guenièvre
mais en vain.
Dès l'aube, la foule afflue pour assister au combat.

De bon matin, avant la première heure du jour, on a conduit
sur la place les deux combattants en armes et chacun sur un
cheval couvert de fer. Méléagant avait noble et fière allure dans
son haubert[1] aux mailles fines bien ajusté, sous son heaume et
5   avec son écu attaché à son cou : toute cette belle armure lui allait
fort bien. Mais tout le monde préférait l'autre chevalier, même
ceux qui auraient voulu sa défaite, et tous étaient d'avis que
Méléagant ne faisait pas le poids en face de l'autre. Dès qu'ils
furent arrivés tous les deux sur la place, le roi vint vers eux pour
10 les retenir, si possible ; il fit de son mieux pour les mettre d'accord, mais il ne put fléchir[2] son fils. Alors il leur dit :

« Tenez vos chevaux en bride au moins jusqu'à ce que je sois
monté sur la tour. Ce ne sera pas me faire une trop grande
faveur que de retarder le combat au moins jusque-là. »

| **1.** Cotte de mailles. | **2.** Convaincre.

15   Et puis il les quitta tout bouleversé et vint directement là où
il savait pouvoir trouver la reine ; elle l'avait prié la veille au soir
de la placer en un lieu lui permettant d'assister sans gêne au
combat. Comme il lui avait donné son accord, il alla la chercher pour la conduire, car il tenait à lui rendre cet honneur et
20   ce service. Il l'installa à une fenêtre, et lui-même se plaça à sa
droite, accoudé à une autre fenêtre. Autour d'eux se trouvaient
rassemblés en grand nombre chevaliers et nobles dames des
deux pays, des jeunes filles nées au pays et beaucoup de captives
absorbées dans les prières et les oraisons[3]. Prisonniers et prison-
25   nières priaient tous sans exception pour leur seigneur, comp-
tant sur Dieu et sur lui pour les secourir et les délivrer. Les
combattants firent alors reculer sans tarder toute la foule, et
poussant les écus des coudes, ils passèrent les bras dans les cour-
roies. Ils s'élancent avec une telle force qu'ils enfoncent leur
30   lance dans l'écu de l'adversaire d'une profondeur de deux bras,
si bien qu'elles volent en éclats et en miettes comme du petit
bois. Les chevaux dans leur élan se sont heurtés de front et du
poitrail, et les écus aussi, et les heaumes, faisant un vacarme qui
fit penser à un fort coup de tonnerre ; il ne resta plus rien d'in-
35   tact : poitrails, sangles, étriers, rênes et varangues[4], et les arçons,
quoique robustes, furent arrachés des selles. Il n'y avait pas de
honte à tomber à terre après tous ces dégâts ! Ils furent vite sur
pied pour reprendre le combat, sans bravades[5] inutiles, plus
farouchement que deux sangliers ; et ils s'assenèrent sans se
40   perdre en menaces de grands coups de leurs épées d'acier, avec
toutes les apparences d'une haine terrible. À plusieurs reprises
ils entamèrent si rudement heaumes et hauberts luisants qu'avec
le fer jaillit le sang. Ils se donnèrent si bien à la bataille qu'ils

---

3. Prières.
4. Partie du harnachement qui maintient
l'armure du cheval.

| **5.** Attitudes de défi.

s'étourdirent et se blessèrent de leurs coups pesants et traîtres.
45 Leurs assauts sauvages, durs et prolongés, les mettaient à égalité, sans que l'on pût encore décider qui gagnait, qui perdait. Mais on ne pouvait éviter que celui qui était passé sur le pont ne se ressentît des blessures qu'il avait aux mains. Cela suscitait une forte émotion chez les spectateurs qui lui étaient favorables.
50 Voyant que ses coups faiblissaient, ils craignirent qu'il n'en fût handicapé. Déjà ils avaient l'impression qu'il avait le dessous et Méléagant le dessus, et la rumeur s'en répandait à la ronde. Mais il y avait aux fenêtres une jeune fille très sensée qui réfléchit et se dit que le chevalier n'avait certainement pas affronté
55 la bataille pour elle, ni pour l'humble foule des spectateurs rassemblés sur la place, et que s'il l'avait entreprise, ce ne pouvait être que pour la reine. Elle pensa que s'il la savait à la fenêtre où elle se trouvait, en train de le regarder et de le contempler, il en reprendrait force et courage, et que si elle avait connu son
60 nom elle l'aurait volontiers appelé pour qu'il jette là un bref regard. Alors elle vint trouver la reine et lui dit :

« Dame, par Dieu je vous demande, pour votre bien comme pour le nôtre, de me dire le nom de ce chevalier, ce qui pourra l'aider, si vous le connaissez.
65 – Votre requête[6], demoiselle, répondit la reine, ne me paraît inspirée ni par la haine ni par quelque sombre machination, mais par le souci de son intérêt. Lancelot du Lac, tel est le nom du chevalier, autant que je sache.

– Dieu ! Comme mon cœur, soulagé, en bondit de joie ! » dit
70 la jeune fille.

Alors, elle s'avança puis cria si fort que toute la foule entendit sa voix très haute appeler :

« Lancelot ! Retourne-toi et regarde qui est là, les yeux fixés sur toi ! »

| 6. Demande.

75 Quand Lancelot entendit son nom, il n'attendit pas pour se retourner : derrière lui il vit, là-haut, la personne qu'au monde il désirait le plus pouvoir regarder, assise aux loges[7] de la tour. De l'instant où il s'en rendit compte, il ne détourna ni ne bougea son regard ni sa tête, mais il se défendit par-
80 derrière. Et Méléagant cependant le pressait du mieux qu'il pouvait, tout heureux à la pensée qu'il ne pourrait plus se défendre contre lui. Ceux du pays s'en réjouirent, mais les autres furent si consternés qu'ils n'avaient plus de jambes, nombreux étant ceux qui, éperdus[8], tombèrent à terre à
85 genoux, ou allongés. D'un côté c'est la joie, de l'autre la douleur. Alors la jeune fille de nouveau l'appela de la fenêtre :
   « Ah ! Lancelot ! Est-il possible que tu te comportes si stupidement ? Jusqu'alors tu avais en toi toutes les qualités de la prouesse ; j'ai la ferme conviction que jamais Dieu ne fit un
90 chevalier qui pût se mesurer à ta valeur et à ta gloire. Et à présent nous te voyons si empoté que tu t'escrimes mains en arrière et combats en tournant le dos à l'adversaire ! Retourne-toi et passe de l'autre côté de manière à avoir toujours cette tour sous les yeux, car il fait bon la regarder ! »
95 Lancelot ressent comme un déshonneur et une infamie, assez graves pour qu'il s'en méprise, d'avoir été le plus faible au combat ; tous et toutes l'ont bien remarqué. Alors il fait un bond en arrière et, contournant Méléagant, il le force à se tenir entre la tour et lui. Méléagant essaie de revenir de l'autre côté ;
100 mais Lancelot s'élance contre lui et il le heurte si violemment de tout son poids avec son écu, quand il veut s'écarter, qu'il le fait chanceler à deux ou trois reprises, quoi qu'il lui en coûte. Et sa force et son audace grandissent sous l'effet d'Amour qui

---

7. Galeries situées en hauteur à l'extérieur de la tour, permettant de suivre les combats sans danger. | **8.** Qui ressentent une émotion violente.

lui apporte un grand secours, et de la haine sans égale qu'il a
105 conçue pour son adversaire en ce combat. Amour et cette haine
mortelle, si grande qu'il n'y en a jamais eu de telle, le rendent
si farouche et courageux que Méléagant ne le prend plus du
tout à la légère, mais est saisi devant lui d'une crainte terrible,
car jamais il n'avait rencontré ni connu un chevalier si hardi,
110 et jamais aucun chevalier ne l'avait éprouvé ni malmené autant
que celui-ci. Il cherche plutôt à prendre de la distance, il se
dérobe [9], et fait des feintes, car il n'aime pas ses coups mais les
évite. Or Lancelot ne s'en tient pas aux menaces mais, en le
frappant, le chasse vers la tour où la reine est en observation.
115 À plusieurs reprises il a rendu hommage à celle-ci et marqué
son allégeance [10] en amenant son adversaire à proximité, à la
limite où il lui fallait s'arrêter car, un pas de plus, et il aurait
cessé de la voir. C'est ainsi que Lancelot, à plusieurs reprises,
repoussait son adversaire en arrière, en avant, partout où il
120 le jugeait bon, sans manquer de s'arrêter devant sa dame, la
reine, qui lui a mis au corps la flamme à force d'être regardée ;
et cette flamme lui donnait tant d'ardeur contre Méléagant
que partout où il voulait il pouvait le repousser et le chasser.
Il le mène comme un aveugle ou un éclopé [11], malgré qu'il en
125 ait [12]. Le roi voit son fils si mal en point qu'il n'a plus de
ressource pour se défendre. Il en ressent de la peine et de la
compassion [13]. Il va chercher un moyen d'y remédier. Mais il
lui faut pour bien s'y prendre supplier la reine. Alors il a
commencé à lui parler en ces termes :

130   « Dame, je vous ai témoigné beaucoup d'amitié, sans cesser
de vous servir et de vous honorer depuis que je vous ai reçue
sous mon autorité. Tout ce que j'ai pu faire pour vous je l'ai
fait à l'avantage de votre honneur. Maintenant accordez-m'en

---

9. Se soustrait, évite.   12. Malgré lui.
10. Fidélité et obéissance.   13. Pitié.
11. Estropié, blessé.

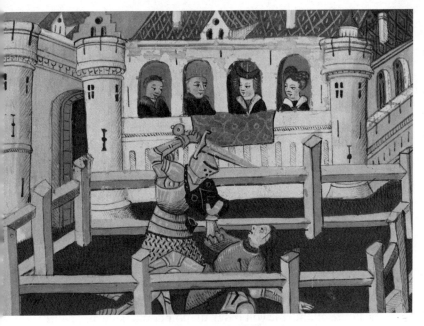

Combat de Lancelot contre Méléagant,
enluminure du XVe siècle.

la récompense. Je vais vous demander une faveur que vous ne
135 devriez m'accorder que par pure amitié. Je vois bien que dans
ce combat mon fils a le dessous, il n'y a pas de doute. Si je vous
adresse une prière à ce sujet ce n'est pas par dépit, mais pour
éviter que Lancelot ne le tue, car il en a le pouvoir. Et si vous
devez aussi vouloir l'éviter, ce n'est pas qu'il ne l'ait bien mérité
140 par sa conduite envers vous comme envers Lancelot, mais
dites-lui pour moi – accordez-moi cette grâce, je vous en prie
– d'arrêter le combat. C'est ainsi que vous pourriez me rendre
tout le bien que j'ai pu vous faire, si vous le jugiez bon.

– Beau sire, puisque vous m'en priez, je le veux bien, répond
145 la reine. Même si j'éprouvais une haine mortelle envers votre
fils, qu'en fait je n'aime pas, vous m'avez rendu de tels services
que pour vous être agréable je veux bien que Lancelot arrête
le combat. »

Ces paroles ne furent pas prononcées à voix basse, mais
150 Lancelot et Méléagant les ont bien entendues. Celui qui aime
se montre obéissant et s'empresse de se conformer[14], s'il est
parfait ami, au désir de son amie. Il fallait donc bien que
Lancelot obéisse, puisqu'il était plus amoureux que ne le fut
Pyrame[15], si jamais homme a pu aimer mieux que lui. Lancelot
155 a bien entendu les paroles de son amie. Dès que le dernier mot
fut sorti de sa bouche, quand elle eut dit : « Puisque vous voulez
qu'il s'arrête, je le veux bien », Lancelot pour rien au monde
n'aurait touché son adversaire ni n'aurait bougé, même au
péril de sa propre vie. Il ne le touche ni ne bouge tandis que
160 l'autre le frappe de toutes ses forces, transporté de colère et
de honte quand il se voit réduit au point qu'il faille qu'on inter-
cède[16] pour lui. Quant au roi, il est descendu de la tour pour
le réprimander[17] ; il s'est avancé sur le lieu du combat et,
aussitôt, apostrophant[18] son fils :

165 « Comment ? dit-il, est-il convenable que tu le frappes alors
qu'il s'abstient[19] de te porter des coups ? Tu es vraiment d'une
sauvagerie trop cruelle, et tu fais trop le brave quand il n'est
plus temps. Car il est évident pour tout le monde que c'est lui
le plus fort. »

---

14. Obéir.
15. Amoureux dont le poète Ovide
célèbre les amours tragiques dans
Les Métamorphoses.
16. Intervenir en faveur de.
17. Faire des reproches.
18. S'adressant de façon brusque.
19. Il s'interdit de, il évite de.

170   Alors Méléagant égaré par la honte répliqua au roi :

« Peut-être êtes-vous aveugle ? Que je sache, vous n'y voyez goutte [20] ; il est aveugle celui qui doute que ce soit moi le plus fort.

– Eh bien, cherche quelqu'un qui te croie ! Tous les specta-
175 teurs savent bien si tu dis vrai ou si tu mens. Nous savons bien où est la vérité. »

Alors le roi donne l'ordre à ses barons de le faire reculer. Et eux, sans délai, exécutent son ordre : ils ont fait reculer Méléagant. Mais pour faire reculer Lancelot il ne fut pas néces-
180 saire d'avoir recours à la force, car l'autre aurait pu lui faire beaucoup de mal avant qu'il ne riposte. Alors le roi dit à son fils :

« Que Dieu m'assiste, mais maintenant il te faut faire la paix et relâcher la reine. Il te faut renoncer à toute cette dispute et clore le litige [21].

185 – Vous venez de dire une fameuse bêtise ! Je viens d'entendre une argumentation sans objet ! Fuyez ! Laissez-nous donc nous battre, et ne vous en mêlez plus ! »

Mais le roi répondit qu'il ne s'en priverait pas :

« Car je sais bien que cet homme te tuerait si l'on vous lais-
190 sait vous battre.

– Il me tuerait ? Disons plutôt que j'aurais vite fait de le tuer, et je serais vite le vainqueur si vous ne nous gêniez pas mais nous laissiez nous battre.

– Sur mon salut, dit alors le roi, tout ce que tu dis restera
195 sans effet.

– Et pourquoi ?

– Parce que je ne veux pas. Je ne me fierai ni à ta folie ni à ton orgueil qui te conduiraient à la mort. Il est bien fou celui qui désire sa propre mort comme tu le fais, par inconscience !

---

20. Vous ne voyez rien.
21. Différend, désaccord.

200 Et je sais bien que tu me détestes parce que je veux t'en
défendre. Mais jamais Dieu ne me laissera assister au spectacle de ta mort, du moins je le souhaite, car j'en éprouverais
une trop grande douleur. »

Finalement, à force d'arguments et de remontrances[22], on
205 arrive à un accord sur la paix. Les termes de cet accord prévoient
que, comme le roi le demande, Méléagant rende sa liberté à la
reine à condition que Lancelot, sans faute, à l'heure et au jour
qu'il lui assignera, après un délai d'un an vienne se battre de
nouveau avec lui. Lancelot n'y voit aucun inconvénient. Alors
210 tout le public se rallie à cet accord, et l'on décide que la bataille
aura lieu à la cour du roi Arthur, qui règne sur la Bretagne et
la Cornouaille. On décide que tel sera le lieu de la rencontre,
mais il faut que la reine donne son accord et Lancelot, sa parole
en sorte que, si Méléagant le réduit à sa merci[23], elle reviendra
215 avec lui sans que personne puisse s'y opposer. La reine accepte
cette clause[24] et Lancelot s'y rallie. C'est sur cette base qu'on
les a mis d'accord, séparés et désarmés.

La coutume établie au pays voulait que, si quelqu'un en
sortait, tous les autres auraient la liberté d'en sortir. Tous bénis-
220 saient donc Lancelot, et vous pouvez bien imaginer la joie qui
devait régner alors, et qui effectivement régna. Tous les étrangers se rassemblèrent pour fêter Lancelot, et ils dirent en chœur
de manière à être entendus de lui :

« Seigneur, vraiment grande fut notre joie quand nous enten-
225 dîmes votre nom, car dès lors nous fûmes certains d'être bientôt
délivrés. »

---

22. Reproches, avertissements.   24. Disposition.
23. Le vainc.

Repérer et analyser

Le cadre spatio-temporel

1 **a.** Dans quel lieu et à quel moment de la journée le combat se déroule-t-il?

b. D'où le roi et la reine regardent-ils ce combat?

Le parcours du héros

L'épreuve chevaleresque: le combat

Le combat constitue une épreuve qualifiante pour un chevalier. Il s'agit d'accomplir un exploit personnel, de prouver ainsi sa valeur aux yeux du monde et de conquérir l'amour de sa dame.

Les combats que se livrent les chevaliers sont codifiés et comportent en principe deux phases: combat à cheval, à l'aide des lances pour désarçonner l'adversaire, avec interdiction de blesser le cheval, puis combat à l'épée, pied à terre. Le combat se livre d'égal à égal, un chevalier à cheval ne combattant pas son adversaire mis à terre.

2 **a.** Qui sont les adversaires en présence? Sont-ils de force égale?

b. Qui sont les spectateurs? Sont-ils nombreux?

c. Quel chevalier reçoit la faveur des spectateurs? Pour quelle raison?

3 **a.** Le combat que se livrent les deux hommes respecte-t-il les règles chevaleresques? Justifiez votre réponse.

b. La vaillance des deux chevaliers est-elle comparable? Justifiez.

4 **a.** Relevez dans le récit du combat les termes appartenant au champ lexical de la violence.

b. Relevez quelques détails particulièrement réalistes.

La comparaison met en relation deux éléments, le comparé (élément que l'on compare) et le comparant (élément auquel on compare) pour en souligner le point commun. La comparaison est introduite par un outil de comparaison (« comme », « ainsi », « semblable à… »).

c. Retrouvez dans les lignes 29 à 41 trois comparaisons qui insistent sur la violence du combat.

d. Quel effet le narrateur cherche-t-il à produire en insistant ainsi sur la violence de cette lutte?

5 **a.** Quel changement de temps constatez-vous dans les lignes 95 à 114? Identifiez la valeur de ce temps. Quel est l'effet produit par son emploi?

b. Quel nouveau tournant le combat prend-il à ce moment?

6 Quelle est l'issue du combat? À quel accord les adversaires parviennent-ils?

La quête amoureuse

7 **a.** Dans quel état Lancelot tombe-t-il lorsqu'il aperçoit la reine en haut de la tour?

b. À quel moment de son parcours s'est-il trouvé dans le même état (extrait 3)?

8 Quel est le rôle du regard? Montrez en citant le texte que l'amour stimule et exalte la prouesse chevaleresque, en même temps qu'il paralyse le héros qui perd la maîtrise de lui-même.

9 **a.** Relevez le champ lexical des liens féodaux dans les lignes 113 à 118. À quel domaine ce champ lexical est-il ici appliqué?

b. Quelle demande la reine fait-elle à Lancelot? Montrez qu'il lui obéit corps et âme.

c. Relevez les mots qui désignent la reine en terme d'amour courtois.

Le motif du nom

10 **a.** Par quelles expressions le chevalier a-t-il été désigné depuis le début du roman?

b. Quel est son véritable nom? Qui le révèle? À quel moment?

c. Quelle est la conséquence de cette révélation pour les prisonniers du royaume de Gorre (l. 75-86) et pour le chevalier lui-même?

Les personnages

La demoiselle

11 En quoi la jeune fille se montre-t-elle « sensée » (l. 53)? Quel rôle joue-t-elle auprès de Lancelot (l. 53-114)?

La reine

12 Quelle est la situation de la reine au royaume de Gorre? Montrez que le roi la considère comme un hôte royal:

a. Quelle place lui a-t-il donnée pour observer le combat ? Relevez les marques de courtoisie du roi à son égard.

b. Quelle demande le roi lui fait-il ? Comment justifie-t-il sa demande ?

13 a. En quoi la reine se montre-t-elle généreuse en acceptant de répondre à cette demande ?

b. Montrez que dans cet extrait la reine recouvre la puissance que Méléagant lui avait retirée en l'enlevant à la cour du roi Arthur.

Bademagu et Méléagant : les relations père/fils

14 a. Pour quelle raison Bademagu intervient-il au cours du combat ? Quels sentiments éprouve-t-il envers son fils (l. 125-143) ?

b. En même temps, quels reproches fait-il à son fils (l. 162-203) ?

c. Sur quel ton Méléagant lui répond-il ? Quels types de phrases emploie-t-il ?

15 Que doit faire Bademagu pour arrêter son fils ? Comment juge-t-il son attitude ? Relevez des expressions précises.

L'enjeu du passage

16 a. Quel est le triple enjeu de ce combat ?

b. En quoi Lancelot a-t-il franchi une étape importante de sa quête ? Qu'a-t-il acquis ? Que lui manque-t-il ?

Enquêter

Les adjuvants

17 Cherchez dans *Lancelot ou le Chevalier de la Charrette* et dans d'autres romans de Chrétien de Troyes des figures de demoiselles qui, comme la jeune fille dans ce passage, viennent en aide au héros.

Étudier une image

La miniature

18 a. Quel moment du combat est représenté sur la miniature p. 75 ?

b. Décrivez la scène (décor, place des personnages…).

Extrait 9

« Je n'ai que faire de sa visite »

Après le combat, Lancelot prie Bademagu de le conduire auprès de la reine Guenièvre.

Le roi le conduisit aussitôt dans la grande salle où la reine était venue l'attendre.

En apercevant Bademagu qui tenait Lancelot par le doigt, elle se leva pour saluer le roi, mais montra un visage cour-
5 roucé[1], baissant la tête sans dire un mot.

« Madame, voici Lancelot qui vient vous voir, fait le roi ; c'est une visite qui doit vous sembler bien agréable et opportune[2].

– À moi, sire ? Il ne peut pas me plaire ; je n'ai que faire de sa visite.

10 – Eh là, Madame ! dit le roi qui était noble et courtois, d'où vous vient maintenant ce sentiment ? Vraiment c'est trop mépriser un homme qui vous a si bien servie, car dans cette aventure il a souvent exposé sa vie à de mortels dangers ; et il vous a porté secours et protection contre mon fils Méléagant,
15 lequel ne vous a relâchée que bien à contrecœur.

– Sire, il a vraiment perdu son temps. Je ne saurais nier que je ne lui en suis pas reconnaissante. »

Voilà Lancelot tout désemparé[3]. Il lui répond avec beau-coup d'élégance comme doit le faire un parfait amant[4] :
20 « Madame, j'en suis, il est vrai, fort affligé, mais je n'ose vous en demander la raison. »

---

1. En colère.
2. Qui survient à propos, qui arrive au bon moment.

3. Décontenancé, qui ne sait ce qui lui arrive.
4. Celui qui aime.

Lancelot aurait eu de quoi se lamenter si la reine avait bien voulu l'écouter ; mais pour ajouter à sa douleur et à sa confusion [5], elle refusa de lui répondre un seul mot et se retira dans

25 une chambre. Et Lancelot la suivit des yeux et du cœur jusqu'à l'entrée, mais pour les yeux le voyage parut bien court car la chambre était trop proche ; et ils seraient entrés avec elle bien volontiers, si c'eût été possible. Le cœur qui a plus de noblesse et d'autorité, et dispose de plus de pouvoir, est passé de l'autre

30 côté derrière elle, tandis que les yeux sont restés dehors, pleins de larmes, avec le corps. Alors le roi, le prenant à part, lui dit :

« Lancelot, je me demande bien ce que cela signifie, et pour quelle raison la reine ne peut vous voir et ne veut vous parler. Si jamais elle avait l'habitude de vous parler, elle ne devrait pas

35 maintenant s'y opposer, ni rejeter votre conversation, après tout ce que vous avez fait pour elle. Mais dites-moi si vous savez pour quelle affaire, pour quel méfait [6] elle vous a réservé un tel accueil ?

– Sire, il y a un instant encore je ne m'y attendais pas. Mais elle n'a pas envie de me voir, ni d'écouter ce que je pourrais

40 lui dire ; cela me tourmente fort et m'accable.

– Elle a certainement tort, dit le roi, car vous avez risqué votre vie en courant pour elle l'aventure. Venez donc, beau doux ami, vous irez parler au sénéchal.

– C'est bien là que je veux aller », répond-il.

45 Ils vont donc trouver le sénéchal. Quand Lancelot fut arrivé devant lui, le sénéchal lui lança d'entrée de jeu [7] :

« Comme tu m'as couvert de honte !

– Moi, et pourquoi ? répondit Lancelot ; dites-moi, quelle honte ai-je bien pu vous causer ?

50 – Une bien grande, car tu es venu à bout de l'entreprise que je n'ai pu achever, tu as fait ce que je n'ai pu faire. »

---

5. Trouble. | 7. Immédiatement.
6. Mauvaise action.

Questions

Repérer et analyser

Le parcours de Lancelot

Le service d'amour

> L'amour courtois exige une soumission totale : l'amant est soumis au bon vouloir de sa dame, il se doit de respecter sa volonté sans lui demander d'explication.

1 **a.** Quel accueil la reine réserve-t-elle à Lancelot ? Par quel pronom le désigne-t-elle ?

b. Pour quelles raisons Lancelot s'étonne-t-il de cet accueil ?

c. Guenièvre laisse-t-elle à Lancelot le loisir de lui demander la raison de son attitude ? Que fait-elle ?

2 Quelle image la reine donne-t-elle de la dame ?

3 **a.** Quels sentiments envahissent Lancelot ? Justifiez votre réponse par des indices précis.

b. Montrez que le chevalier se conduit néanmoins selon les règles de l'amour courtois (l. 18-44).

La rencontre avec le sénéchal Keu

4 **a.** En quoi l'accueil du sénéchal se rapproche-t-il de celui de la reine ?

b. Quel sentiment dicte à Keu sa conduite ? Comment l'expliquez-vous ?

Bademagu et la reine

5 **a.** Relevez les expressions et les phrases qui indiquent l'étonnement de Bademagu.

b. Quels reproches le roi Bademagu adresse-t-il à la reine ?
Pour quelles raisons peut-il se permettre de les lui faire ?

Le regard du cœur

6 Quelle différence le narrateur fait-il entre le regard des yeux et le regard du cœur (l. 25-31) ? Quelles sont les limites du premier ? Quels sont les pouvoirs du second ?

L'enjeu du passage et les effets produits

7 **a.** Quel effet l'accueil de la reine produit-il sur l'auditoire ?

b. L'auditoire pouvait-il s'attendre, lui, à cette attitude de la part de la reine ? Pour répondre, reportez-vous à l'extrait 2 p. 24.

8 Dans quel état d'esprit Lancelot est-il à la suite de ce double accueil, celui de la reine et celui du sénéchal ? Peut-il avoir le sentiment d'avoir accompli sa quête ? Justifiez votre réponse.

9 Quel(s) personnage(s) vous semble(nt) incarner ici la noblesse et la courtoisie ? Justifiez votre réponse.

Écrire

Écrire un dialogue

10 Imaginez la suite immédiate de ce passage. Dans un dialogue, Lancelot tentera de convaincre Keu du bien-fondé de la quête qu'il a entreprise. Le désarroi de Lancelot devant l'accueil que lui ont réservé la reine et Keu devra apparaître dans ses sentiments et ses paroles. Respectez aussi le caractère de Keu qui est souvent désagréable.

Se documenter

Le sénéchal Keu

Dans les romans français du XIIᵉ siècle, le sénéchal Keu est souvent discourtois, orgueilleux et blessant. Le roi Arthur lui-même doit parfois lui faire des remontrances : « Keu, fait le roi, par la grâce de Dieu, vous dites trop facilement des choses désagréables, sans tenir compte de celui à qui vous parlez ! Pour un homme de valeur, c'est un bien vilain défaut !… » Peu après cette intervention du roi, Keu se montre violent envers une jeune fille : « […] il lui donna un coup si violent de la paume de la main sur son tendre visage qu'il l'étendit à terre. Ayant frappé la jeune fille, il trouva sur son chemin un sot qui se tenait debout près d'une cheminée, et le poussa du pied dans le feu brûlant… » (*Perceval ou le Conte du Graal*, éd. D. Poirion, La Pléiade, p. 710-711).

Extrait 10

« S'il était mort, je n'aurais plus jamais été heureuse »

Désemparé par l'attitude de la reine, Lancelot part à la recherche de Gauvain avec quelques compagnons. Mais des habitants du royaume de Gorre les font prisonniers. À la cour de Bademagu, tous croient que Lancelot est mort. Guenièvre, désespérée, s'accuse d'être responsable de la mort de son ami. Se répand alors le bruit qu'elle est morte de chagrin. Lorsque Lancelot l'apprend, il tente de se suicider mais est sauvé par ses compagnons. Sur ces entrefaites, arrive la nouvelle que la reine est bien vivante.

Et quand ils arrivèrent à six ou sept lieues du séjour qui abritait le roi Bademagu, on lui rapporta sur Lancelot cette nouvelle qui lui fut très agréable et qu'il entendit volontiers, à savoir qu'il était vivant et arrivait sain et sauf. Il tira déli-
5 catement parti de cette nouvelle, car il l'alla rapporter à la reine. Alors elle lui répondit :

« Beau sire, puisque vous le dites, je le crois. Mais s'il était mort, je vous garantis que je n'aurais plus jamais été heureuse. J'aurais bien perdu toute joie si un chevalier en me servant
10 avait reçu et accepté la mort. »

Alors le roi la quitte, et la reine est très impatiente de retrouver, avec son ami, sa joie. Il n'est plus question de lui chercher querelle pour quoi que ce soit. Or la rumeur qui ne se repose jamais, mais court toujours, apportant des nouvelles,
15 vint apprendre à la reine que Lancelot se serait tué pour elle si on lui en avait laissé le loisir. Cette rumeur la réjouit et elle y ajouta foi [1], mais pour rien au monde elle n'aurait voulu qu'il

| **1.** Elle la crut.

le fît car c'eût été un trop grand malheur pour elle. Entre-temps
est arrivé Lancelot qui s'était dépêché le plus possible. Dès que
20 le roi l'aperçut, il courut l'embrasser. Il lui semblait qu'il allait
voler tant sa joie le rendait léger. Mais ce qui mit bientôt un
terme à la réjouissance, c'est le sort de ceux qui l'ont pris et
attaché. Le roi leur dit qu'ils regretteront d'être venus, qu'ils
peuvent se considérer comme morts et exterminés. Alors ils
25 dirent pour toute excuse qu'ils pensaient lui faire plaisir.

« Cela me déplaît, si vous avez trouvé cela bien, répondit
le roi ; cela ne concerne pas Lancelot, car ce n'est pas à lui que
vous avez porté préjudice[2], mais à moi qui lui avais donné
sauf-conduit[3]. Quoi qu'il en soit la honte est pour moi. Mais
30 vous ne rirez plus au sortir d'ici. »

Quand Lancelot l'entendit se mettre en colère, il fit tout ce
qu'il put pour ramener et rétablir la paix, si bien qu'il y réussit.
Alors le roi l'emmena voir la reine. Cette fois la reine ne baissa
pas les yeux, mais elle s'avança gaiement pour l'accueillir ; elle
35 lui témoigna toutes les marques d'estime en son pouvoir et le
fit asseoir à côté d'elle. Puis ils parlèrent à loisir de tout ce dont
ils eurent envie, et la matière ne leur manquait pas, car Amour
la leur fournissait largement. Et quand Lancelot se rendit
compte que tout allait bien, que tout ce qu'il disait plaisait à
40 la reine, il lui fit cette confidence :

« Dame, je me demande avec perplexité[4] pourquoi vous
m'avez réservé cet accueil, avant-hier, en me voyant, car vous
ne m'avez pas adressé une seule parole. Vous m'avez presque
ainsi donné la mort, et je n'ai pas eu alors l'audace – que j'ai
45 aujourd'hui – de vous en demander la raison. Dame, je suis
prêt à vous en faire réparation, encore faut-il que vous m'ayez
énoncé ce forfait[5] qui m'a valu un si grand tourment. »

---

2. Nuire.
3. Permission.

4. Embarras.
5. Crime, acte abominable.

Alors la reine lui explique :

« Comment ? N'avez-vous donc pas eu honte de la charrette,
50 n'avez-vous pas hésité ? Vous y êtes monté à grand regret,
ayant marqué une attente le temps de faire deux pas. Et voilà
la raison, vraiment, pour laquelle je refusai de vous parler et
de vous regarder.

– Puisse Dieu me garder une autre fois d'un tel forfait, dit
55 Lancelot, et que Dieu n'ait jamais pitié de moi s'il n'est pas
vrai que vous étiez tout à fait dans votre droit. Dame, par
Dieu, recevez-en de moi ici même réparation, et si vous devez
un jour me le pardonner, pour Dieu, dites-le-moi !

– Ami, vous êtes tout à fait quitte, fait la reine, et sans réserve.
60 Je vous pardonne cette faute de bonne grâce.

– Dame, dit-il, soyez-en remerciée ; mais je ne puis vous dire
ici tout ce que je voudrais ; je vous parlerais volontiers plus à
loisir, si c'était possible. »

Alors la reine lui montre une fenêtre, de l'œil, et non du
65 doigt, ajoutant :

« Venez me parler à cette fenêtre, cette nuit, quand tout le
monde ici sera endormi. Vous viendrez par le verger. Vous ne
pourrez pas entrer ni vous installer pour la nuit. Je serai à l'intérieur et vous dehors, puisque vous ne pourrez y pénétrer.
70 Et je ne pourrai pas venir jusqu'à vous, sinon en vous parlant
de ma bouche et vous touchant de la main. Mais s'il vous plaît
je resterai là jusqu'à demain pour l'amour de vous. Nous ne
pourrions pas nous trouver ensemble puisque dans ma
chambre, devant moi, est couché le sénéchal Keu, rendu inva-
75 lide par les blessures dont il est couvert. Et puis la porte ne
reste pas ouverte, mais elle est bien fermée et bien gardée.
Quand vous viendrez, prenez garde que nul surveillant ne vous
surprenne.

– Madame, je ferai en sorte que nul guetteur ne m'aperçoive
80 qui puisse en concevoir une mauvaise pensée ou quelque médi-
sance [6]. »

C'est ainsi qu'ils ont pris rendez-vous, et ils se séparèrent
gaiement.

Lancelot sortit de la chambre si heureux qu'il avait oublié
85 jusqu'au dernier de ses nombreux ennuis. Mais la nuit tardait
trop à son gré, et le jour lui a paru plus long, sous l'effet de
son impatience, que cent jours habituels, voire qu'une année
entière. Il aurait bien voulu aller déjà au rendez-vous : si seulement il avait fait nuit ! À force de lutter pour vaincre le jour,
90 la nuit noire et obscure réussit à tirer sur lui son rideau et à
lui imposer son manteau. Quand il vit le jour assombri, il fit
comme s'il était las et fatigué. Il dit qu'ayant beaucoup veillé
il avait besoin de se reposer. Vous pouvez bien comprendre
et interpréter, vous qui avez usé du même stratagème [7], que
95 pour les gens de son logis il jouait la lassitude et le besoin de
se mettre au lit ; mais il n'avait pas tellement envie de son lit,
car pour rien au monde il ne s'y serait reposé : il n'aurait pas
pu, il n'aurait pas osé, il n'aurait même pas voulu en avoir le
courage ni le pouvoir d'y penser. Bientôt il se releva en douceur,
100 sans regretter qu'il n'y ait ni lune ni étoile qui luise ni, dans
la maison, chandelle, lampe ou lanterne allumée. Il partit en
faisant attention que personne ne s'en avise ; ils le croyaient
tous endormi dans son lit pour toute la nuit. Sans escorte et
sans guide, il s'en alla vite en direction du verger et ne rencontra
105 personne. Il avait de la chance car un pan de mur s'était écroulé
récemment dans le verger. Il passa rapidement par cette brèche
et avança jusqu'à la fenêtre. Là il se tint immobile, évitant de
tousser et d'éternuer. Enfin la reine arriva dans une chemise

| **6.** Malveillance. | **7.** Ruse. |

bien blanche ; elle n'avait pas mis de bliaut[8] ni de cotte[9], mais
110 avait jeté par-dessus un court manteau d'écarlate[10] et de
marmotte[11]. Quand Lancelot vit la reine incliner sa tête à la
fenêtre armée de gros barreaux de fer, il l'honora d'un salut
très tendre, qu'elle lui rendit aussitôt, car tous deux étaient
sous l'empire du désir, lui d'elle et elle de lui. Il n'y eut entre
115 eux ni vilaines paroles ni ennuyeux débats. Ils se rapprochè-
rent le plus possible l'un de l'autre et tous deux purent alors
se tenir par la main.

Lancelot et la reine, illustration de Havard Pyle (1905).

---

8. Robe de dessus, d'une riche étoffe.
9. Sorte de tunique portée par-dessus
la chemise.

10. Étoffe fine de soie ou de laine, pas
toujours rouge.
11. Petit rongeur des Alpes dont
la fourrure était appréciée.

Repérer et analyser

La progression du récit

1 Combien de temps s'est-il écoulé depuis le jour où la reine a éconduit Lancelot (extrait 9) ? Citez le texte.

2 Quels événements se sont produits dans l'intervalle ?
Pour répondre, reportez-vous au hors-texte et au début de l'extrait.

3 a. Quelle est la réaction du roi Bademagu lorsqu'il voit arriver Lancelot ?

b. Pour quelle raison le roi se met-il en colère contre ses sujets (l. 21-30) ? Quel tort lui ont-ils causé ?

c. Montrez qu'à cette occasion Lancelot se conduit en parfait chevalier.

Le parcours de Lancelot

La réconciliation amoureuse

4 a. Comparez l'accueil que la reine fait à Lancelot avec celui qu'elle lui avait réservé lors de leur précédente entrevue (extrait 9).

b. À quoi est dû le revirement de la reine ? Aidez-vous du hors-texte.

c. Quelles marques d'estime Guénièvre témoigne-t-elle à Lancelot ?

5 a. Quelle explication la reine donne-t-elle de son attitude passée ?

b. Comment Lancelot répond-il au reproche qui lui est fait ?

6 Relevez tout au long du passage les indices d'un amour partagé.

L'attente d'amour

7 a. Identifiez dans les lignes 84 à 89 le type de phrase et l'hyperbole (voir p. 48) qui permettent au narrateur de traduire l'impatience de Lancelot.

b. Comment Lancelot trompe-t-il son entourage pour retrouver sa dame dès la nuit tombée ?

8 « Vous pouvez bien comprendre et interpréter... » (l. 93-94) : à qui s'adresse ici le narrateur ? Quel effet veut-il produire ?

Le rendez-vous secret

9 **a.** Qui a proposé le rendez-vous ? Pourquoi ?

b. Montrez en citant le texte que Guenièvre se montre très prudente. Pourquoi cette prudence est-elle indispensable ?

10 Le verger

Dans la littérature médiévale, *le verger* apparaît comme un lieu clos et intime dans lequel les amants peuvent se donner secrètement rendez-vous.

Comment Lancelot entre-t-il dans le verger ?

11 **a.** La nuit

La nuit est le lieu des dangers et des épreuves (voir p. 34), mais c'est aussi le moment propice à l'intimité amoureuse.

Relevez les expressions qui font référence à la nuit et à l'obscurité.

b. La métaphore

La métaphore est une figure de style qui rapproche le comparé et le comparant sans recours à un outil de comparaison. Exemple : *un manteau de neige* (élément comparé : l'épaisseur de la neige ; comparant : un manteau).

Relevez et expliquez la métaphore de la nuit (l. 89-91).

c. Montrez que toutes les conditions d'obscurité sont réunies pour favoriser cette rencontre (l. 99-117).

12 Comment les amants sont-ils placés ? En quoi la fenêtre favorise-t-elle le rapprochement des amants tout en constituant un obstacle (voir p. 34) ?

13 Comment les amants manifestent-ils leur amour lorsqu'ils se rejoignent ?

Étudier la langue

Les connecteurs temporels

Les connecteurs temporels sont des adverbes, des conjonctions, des locutions conjonctives qui signalent la succession des événements dans le temps et organisent le texte selon une perspective chronologique.

14 Relevez les connecteurs temporels dans le dernier paragraphe et indiquez leur nature.

Enquêter

Le rendez-vous secret

15 Le thème du rendez-vous secret entre deux amants est récurrent dans la littérature.
Recherchez dans *Le Roman de Tristan et Iseut* et dans la pièce de Shakespeare *Roméo et Juliette*, des passages ou des scènes dans lesquels les amants se retrouvent secrètement et lisez-les.

Écrire

Décrire une situation d'attente

16 Lors d'une occasion (sortie, fête, voyage…), vous avez connu un moment d'impatience intense. Expliquez en une quinzaine de lignes les raisons de votre impatience et décrivez-en les manifestations. Vous utiliserez des connecteurs temporels pour structurer votre récit.

Extrait 11

« Un nain vint à leur rencontre »

Poussé par l'amour, Lancelot entre dans la chambre de la reine avec laquelle il passe la nuit. Il la quitte à l'aube sans remarquer que, blessé au doigt, il a laissé des traces de sang sur les draps. Au matin, Méléagant rend visite à Guenièvre et, apercevant le sang, accuse Keu, blessé lors d'un combat, d'avoir profité des faveurs de la reine.

Keu étant trop faible pour se battre, Lancelot vient alors défendre l'honneur des deux accusés contre Méléagant. Bademagu réussit une nouvelle fois à séparer les combattants.

Lancelot, qui était pressé de retrouver monseigneur Gauvain, vint en demander la permission et le congé au roi et puis à la reine. Avec leur autorisation il s'achemina rapidement vers le Pont sous l'Eau. Il avait derrière lui une troupe importante
5 de chevaliers qui le suivaient mais, parmi ceux qui y allaient, il y en avait beaucoup qu'il eût préféré voir rester. Après de longues étapes ils approchaient du Pont sous l'Eau, dont ils étaient encore à une lieue de distance. Ils n'eurent pas le temps de s'en approcher plus ni de le voir qu'un nain vint à leur
10 rencontre sur un grand cheval de chasse, avec à la main un fouet pour le faire avancer en le menaçant. Aussitôt il demanda, selon des instructions qu'on lui avait données :

« Lequel d'entre vous est Lancelot ? Ne me le cachez pas, je suis des vôtres ; dites-le-moi sans crainte, car je vous pose cette
15 question dans votre intérêt. »

Lancelot répondit en personne :

« Je suis celui que tu cherches et réclames.

Un chevalier
se mettant
au service
de sa dame,
enluminure
du XIIIᵉ siècle.

– Ah ! Lancelot, noble chevalier, laisse ces gens et fais-moi
confiance ; viens tout seul avec moi, car je veux te conduire en
20 un endroit qui fera ton bonheur. Que personne ne te suive à
aucun prix, mais qu'on t'attende à cet endroit où nous revien-
drons tout de suite ! »

Et lui, qui ne se méfiait pas, a fait attendre toute son escorte
et a suivi le nain qui l'a trahi ; ses gens qui l'attendent là peuvent
25 l'attendre longtemps car ceux qui l'ont attrapé et fait prisonnier n'ont nulle intention de le rendre. Les gens de son escorte
se désespèrent en ne le voyant pas revenir au lieu de rendez-
vous et ne savent pas quoi faire. Tous disent que le nain les a
trahis et s'ils en furent accablés, inutile de le demander.
30 Tristement, ils commencent à le chercher, mais ils ne savent
pas où ils pourraient le trouver, ni de quel côté ils devraient

orienter leurs recherches ; alors ils en délibèrent[1] tous ensemble.
L'avis des plus raisonnables et des plus sages, il me semble, est
qu'il convient de se rendre au passage du Pont sous l'Eau, qui
35 est tout proche, et de ne se mettre en quête de Lancelot qu'ensuite, en profitant des conseils de monseigneur Gauvain s'ils
le trouvent à un endroit ou à un autre. Tous se rallient à cette
suggestion, si bien que sans s'écarter ils se dirigent vers le Pont
sous l'Eau. À peine arrivés au pont, ils ont aperçu monseigneur
40 Gauvain qui avait perdu l'équilibre et s'était enfoncé dans l'eau,
profonde à cet endroit. Tantôt il refait surface, tantôt il coule
au fond, tantôt ils le voient, tantôt ils le perdent de vue. Ils s'ap-
prochent de cet endroit, agrippent Gauvain avec des branches,
des perches et des crocs. Il lui restait sur le dos le haubert, son
45 heaume qui en valait bien dix autres, encore fixé sur la tête, et,
encore enfilées sur ses jambes, des chausses de fer toutes
rouillées de sueur, car il avait enduré bien des épreuves, traversé
bien des périls et subi bien des attaques dont il avait triomphé.
Sa lance, son écu et son cheval étaient restés sur l'autre rive. Ils
50 ne pensent pas que celui qu'ils ont retiré de l'eau puisse être
encore vivant, car il avait absorbé beaucoup d'eau, et tant qu'il
ne l'eut pas rendue ils n'en purent obtenir un mot. Mais quand
sa parole et sa voix retrouvèrent libre la sortie des poumons,
et qu'on put l'entendre et le comprendre, au plus tôt qu'il put
55 prendre la parole, il la prit. Il commença par demander à ceux
qui étaient devant lui s'ils avaient quelque nouvelle de la reine.
Dans leur réponse ils lui dirent qu'elle ne quitte pas un seul
instant le roi Bademagu, qui lui fournit tout ce dont elle a besoin
et lui témoigne beaucoup d'égards.

60 « Est-ce que personne, depuis, n'est venu la chercher sur cette
terre ? demande monseigneur Gauvain.

| **1.** Discutent.

– Si, répondent-ils, Lancelot du Lac, qui a passé le Pont de l'Épée. Il l'a secourue et libérée, et nous tous avec elle. Mais un nabot[2] nous a trahis, un nain bossu et grotesque : il nous a
65 honteusement trompés en nous enlevant Lancelot. Nous ne savons ce qu'il en a fait.

– Et quand cela est-il arrivé ? demande monseigneur Gauvain.

– Seigneur, c'est aujourd'hui que le nain nous a fait cela, tout près d'ici, quand Lancelot est venu avec nous à votre rencontre.
70 – Et comment s'est-il conduit depuis son arrivée en ce pays ? »

Alors ils commencent à l'informer ; ils lui racontent tout de bout en bout sans oublier un seul détail ; ils lui disent aussi que la reine l'attend, ayant assuré que rien ne la ferait partir du pays avant de le voir, même si on lui en apporte des nouvelles.
75 Monseigneur Gauvain leur demande :

« Quand nous allons quitter ce pont, irons-nous en quête de Lancelot ? »

De l'avis unanime[3] il vaut mieux d'abord aller trouver la reine ; le roi le fera rechercher ; car ils pensent que c'est son
80 fils qui, traîtreusement, l'a fait mettre en prison : c'est Méléagant, qui déteste Lancelot. Mais où qu'il soit, si le roi l'apprend, il le fera remettre en liberté. Ils peuvent en être sûrs. Tous se rallièrent à cet avis et ils se mirent aussitôt en route, si bien qu'ils approchèrent de la cour où se trouvaient la reine
85 et le roi Bademagu ainsi que le sénéchal Keu ; il y avait aussi le traître, débordant de ruses mauvaises, qui troubla les arrivants inquiets pour Lancelot. Ils s'estiment victimes d'une trahison et d'un attentat et ils manifestent bruyamment leur accablante douleur. Ce n'est pas une bonne nouvelle que reçoit
90 ainsi la reine avec ce deuil[4]. Cependant elle montre en la circonstance autant d'enjouement[5] qu'il est possible. Il lui faut, en

---

2. Personne de très petite taille.
3. De l'avis de tous.
4. Douleur.
5. Gaîté, bonne humeur.

l'honneur de monseigneur Gauvain, manifester quelque joie, et c'est ce qu'elle fait. Mais elle a beau cacher sa douleur, celle-ci transparaît néanmoins. Elle doit se livrer en même temps à
95 la joie et à la tristesse. Elle a le cœur serré en pensant à Lancelot, mais devant monseigneur Gauvain elle manifeste une joie extrême. Il n'y a personne qui, ayant appris la nouvelle de la disparition de Lancelot, n'en soit triste et désolé. Le roi serait réjoui de voir monseigneur Gauvain, sa venue qui lui donnait
100 l'occasion de faire sa connaissance lui aurait plu beaucoup ; mais il est tellement affligé et accablé de savoir que Lancelot a été trahi qu'il en reste abattu et désemparé. La reine lui demande avec insistance de le faire rechercher par monts et par vaux[6] sur son territoire, sans délai ni retard ; monseigneur
105 Gauvain et Keu font de même ; il n'est personne qui ne soit venu l'en prier instamment.

   « Laissez-moi m'occuper de cette affaire, dit le roi, inutile d'en parler davantage, car j'ai pris mes dispositions depuis longtemps ; je n'ai besoin ni de prière ni de pétition pour faire
110 cette enquête. »

   Chacun s'incline respectueusement. Le roi aussitôt envoie par tout son royaume ses messagers, des hommes d'armes de bonne réputation et avisés ; dans tout le pays ils ont demandé de ses nouvelles. Partout ils ont mené leur enquête sans recueillir
115 d'information crédible. N'ayant rien trouvé, ils regagnent l'endroit où séjournent les chevaliers, Gauvain, Keu et tous les autres. Ceux-là disent qu'ils partiront, la lance en bataille, tout armés, pour le chercher ; ils n'en chargeront personne d'autre. Un jour, après manger, ils se trouvaient tous occupés à s'armer,
120 car le moment était venu de faire son devoir, il n'y avait plus qu'à se mettre en route, quand un jeune homme entra dans la salle, et traversa leur groupe pour venir devant la reine, dont

| **6.** Partout.

le visage n'avait plus son teint de rose; son angoisse pour Lancelot, dont elle n'avait pas de nouvelles, était telle qu'elle
125 avait perdu toutes ses couleurs. Le jeune homme l'a saluée, ainsi que le roi qui se trouvait à côté d'elle, et puis tous les autres à leur tour, notamment Keu et monseigneur Gauvain. Il tenait une lettre à la main; il la tendit au roi qui la prit. Le roi la fit lire à haute voix par un clerc tout à fait compétent.
130 Ce lecteur sut bien leur dire ce qu'il vit écrit sur le parchemin; que Lancelot salue le roi, son bon seigneur, le remerciant de l'honneur qu'il lui a fait et des services qu'il lui a rendus, se disant tout entier à son commandement. Il faut qu'on sache sans l'ombre d'un doute qu'il est avec le roi Arthur, en bonne
135 santé et plein de vigueur, lequel mande[7] à la reine qu'elle revienne, si elle veut bien, ainsi que monseigneur Gauvain et Keu. Et la lettre portait des marques d'authenticité auxquelles ils devaient accorder crédit[8], ce qu'ils firent. Ils en furent heureux et s'en réjouirent; toute la cour retentit de cette réjouis-
140 sance; ils ont l'intention, disent-ils, de s'en aller le lendemain, au lever du jour. Et quand arriva l'aube, ils se préparèrent et s'équipèrent; ils sont bientôt debout, ils montent à cheval et se mettent en route.

Chevaliers,
pièces d'un jeu d'échecs
en ivoire, XIIe siècle.

| **7.** Demande. | **8.** Croire, faire confiance.

Questions

Repérer et analyser

Le cadre et la progression du récit

L'itinéraire des chevaliers

1 **a.** Dans quel lieu Lancelot et ses compagnons comptent-ils se rendre ?

b. Relisez dans l'extrait 4 le passage dans lequel le Pont sous l'Eau est déjà mentionné. Quelles sont les caractéristiques de cet endroit ?

2 Reconstituez l'itinéraire des chevaliers qui escortent Lancelot.

Péripéties et coup de théâtre

3 **a.** À quel point de leur itinéraire les chevaliers se trouvent-ils lorsqu'ils rencontrent le nain ? Citez le texte.

b. Ce personnage est-il maléfique ou bénéfique ?

c. Quelle péripétie s'ensuit ?

4 À la fin de l'extrait, quel rebondissement pousse Gauvain, la reine et leurs compagnons à regagner la cour du roi Arthur ?

5 Montrez que péripéties et coup de théâtre reposent sur la tromperie. Quel personnage en est l'instigateur ?

Le parcours de Lancelot

La quête chevaleresque

6 Relevez chez Lancelot des marques de respect de vassal à suzerain (l. 1-4).

7 Quelle nouvelle quête pousse Lancelot à quitter la cour du roi Bademagu ? En quoi obéit-il à son devoir de chevalier ?

8 Montrez que Lancelot se conduit avec une grande naïveté lorsque le nain l'interpelle. Quels indices auraient dû éveiller sa méfiance ? De quelle félonie est-il victime ?

La quête de la reine

9 **a.** Qui escortera la reine à la place de Lancelot jusqu'à la cour du roi Arthur ?

b. En quoi la quête de Lancelot peut-elle sembler inachevée ?

Le parcours de Gauvain

Les épreuves

10 **a.** Dans quelle situation Gauvain se trouve-t-il lorsque les chevaliers l'aperçoivent ?

b. Dans quel état est-il ? Relevez quelques détails réalistes qui le dépeignent.

c. Quels procédés d'écriture montrent que l'épreuve a été dure (l. 37-52) ? Appuyez-vous sur les termes répétés, les verbes d'actions.

11 **a.** Qui Gauvain était-il parti secourir ? Montrez qu'il se trouve dans une situation inversée.

b. Dans ces épreuves, qui, de Gauvain ou de Lancelot, se révèle supérieur à l'autre ? Quelle précaution Lancelot avait-il prise avant de passer le Pont de l'Épée (voir extrait 7) ?

12 Gauvain correspond-il ici à l'image du chevalier accompli qu'il donnait dans les premiers extraits ? Justifiez votre réponse.

L'amitié chevaleresque

13 Comment Gauvain réagit-il lorsqu'il apprend que Lancelot a été enlevé ? Montrez en citant le texte qu'il respecte les règles de l'amitié chevaleresque.

La reine et le roi Bademagu

14 **a.** Quels sentiments contradictoires la reine Guenièvre éprouve-t-elle lorsque Gauvain revient à la cour ?

b. Quels sont les deux champs lexicaux qui s'opposent dans les lignes 87 à 97 ? Relevez-en les termes.

15 **a.** Montrez en citant le texte que Bademagu est très attaché à Lancelot. Quelle est sa première réaction en apprenant la disparition du chevalier ?

b. Comment le roi tente-t-il d'affirmer son autorité ? Sur quel ton répond-il aux sollicitations de Guenièvre, Gauvain et Keu ?

c. Les mesures qu'il prend se révèlent-elles efficaces ?

16 Comment Bademagu se comporte-t-il dans ce passage ? Comparez son attitude dans cet épisode à celle du roi Arthur dans le premier extrait.

La conduite du récit

Les interventions du narrateur

17 Quelle est la fonction de l'intervention du narrateur aux lignes 23 à 26 ? Quel effet produit-elle ?

Les choix narratifs

18 **a.** Le narrateur s'attarde-t-il sur le parcours de Gauvain ?
b. Comment expliquez-vous ce choix du narrateur ?

Les résumés

19 Expliquez la fonction du résumé des aventures de Lancelot fait à Gauvain (l. 60-75). Qui fait ce résumé ?

Le parallélisme des départs et des retours

20 Quel chevalier a quitté le premier la cour du roi Arthur pour aller chercher la reine ? Qui la ramène à la cour le premier ? En quoi cet épisode établit-il un lien avec le début du roman ?

L'enjeu du passage

21 **a.** Quelles sont les conséquences de la disparition de Lancelot pour les différents personnages et pour le royaume de Logres ? En quoi ce passage marque-t-il un nouveau tournant dans le récit ?
b. Que se passera-t-il si Lancelot ne réapparaît pas à la date fixée pour combattre Méléagant ?

Écrire

Faire le récit d'une épreuve chevaleresque

22 De retour à la cour de Bademagu, Gauvain raconte au roi et à Guenièvre comment il a affronté et vécu l'épreuve du Pont sous l'Eau, jusqu'à son sauvetage.

« La jeune fille s'approcha de la tour »

Rassurés, la reine, Gauvain et leurs compagnons regagnent la cour du roi Arthur où ils s'aperçoivent qu'ils ont été trompés : Lancelot a bel et bien disparu.

Quelque temps plus tard, Lancelot, tenu captif chez un sénéchal de Méléagant, persuade l'épouse de son geôlier de le laisser participer, incognito, à un tournoi auquel va assister Guenièvre. Le chevalier que seule la reine reconnaît sort vainqueur de la joute et retourne, comme il l'avait promis, dans sa prison. Méléagant décide alors d'emmurer Lancelot dans une tour isolée. Puis le traître se rend à la cour du roi Arthur pour rappeler la promesse que Lancelot lui avait faite de se battre à nouveau contre lui. Il lui accorde un délai d'un an pour se présenter. Gauvain lui promet alors de l'affronter au jour dit si Lancelot n'a pas été retrouvé.

De retour à Gorre, Méléagant se heurte à la colère de son père qui l'accuse de démesure et d'orgueil. Le roi Bademagu émet même l'idée que Lancelot doit être tenu prisonnier dans un endroit secret. La fille du roi décide alors de se mettre à la recherche du chevalier. Sa quête dure environ un an.

Pourtant, un jour qu'elle traversait un champ, plongée dans ses tristes pensées, elle aperçut au loin, sur le rivage, le long d'un bras de mer, une tour. Il n'y avait aux environs ni maison, ni cabane, ni abri. C'était la tour que Méléagant avait fait
5 construire pour y mettre Lancelot; la demoiselle n'en savait rien. Mais, sitôt qu'elle l'aperçut, son regard s'y fixa sans pouvoir s'en détourner. Son cœur lui dit que c'est là ce qu'elle

a tant cherché : la voilà arrivée au but, Fortune[1] l'y conduit tout droit après l'avoir si longtemps promenée.

10   La jeune fille s'approcha de la tour, et au terme de sa marche y arriva enfin. Elle la contourna tout en prêtant l'oreille, écoutant avec attention pour savoir si elle pourrait entendre quelque signal favorable. Elle inspecte le bas, lève les yeux vers le sommet, pour constater que c'est une tour haute et large. Ce

15 qui est étrange, c'est qu'on n'y voit ni porte ni fenêtre, sauf une petite ouverture très étroite. Pour une tour si haute et élancée, aucune échelle, aucun escalier. Tout cela la confirme dans l'idée que la tour a été faite précisément pour y enfermer Lancelot. Pas question de se mettre quoi que ce soit sous la

20 dent avant d'en avoir le cœur net. Elle avait l'intention de l'appeler par son nom, en criant « Lancelot ! » mais elle se retint car, tandis qu'elle gardait le silence, se fit entendre une voix qui se lamentait dans la tour avec une insistance extraordinaire, ne réclamant plus rien d'autre que la mort. Cet homme

25 désirait la mort, en se plaignant beaucoup ; une souffrance excessive lui faisait désirer de mourir. Il exprimait son mépris pour la vie et pour son corps, disant faiblement, d'une voix ténue[2] et rauque :

        « Hélas ! Fortune, comme ta roue a tourné pour moi dans

30 le mauvais sens ! Elle m'a précipité du sommet où j'étais vers le bas. J'étais heureux, maintenant je suis malheureux. Les larmes ont succédé au sourire que tu me faisais. Ah ! pauvre de moi, pourquoi m'être fié à elle puisqu'elle m'a si vite abandonné ? En peu de temps elle m'a vraiment fait descendre du

35 plus haut au plus bas. Fortune, en te moquant de moi tu as bien mal agi, mais que t'importe ? Le cours des choses t'est indifférent. Ah ! sainte Croix, Saint-Esprit, comme me voilà perdu, comme me voilà mort, déjà au terme de ma vie ! Ah !

| **1.** Destin. | **2.** Faible.

Gauvain, vous qui avez tant de mérite, vous qui êtes d'une
40 vaillance inégalée, vraiment je m'étonne beaucoup que vous
ne veniez pas me secourir. Vraiment vous tardez trop, votre
conduite manque de courtoisie. Celui que vous aimiez tant
aurait bien dû recevoir votre aide. Vraiment, de ce côté de la
mer ou de l'autre, je puis bien le dire sans mentir, il n'y aurait
45 eu de lieu écarté ni de cachette où je n'eusse été vous chercher pendant six ou sept ans, voire une dizaine d'années,
jusqu'à ce que je vous eusse trouvé, si j'avais appris que vous
étiez retenu en prison. Mais pourquoi prolonger ce débat ?
Vous ne vous en souciez pas assez pour vous en mettre en
50 peine. Le vilain[3] a raison de dire qu'il est difficile de trouver
un ami ; on peut facilement vérifier, quand on en a besoin, qui
est un véritable ami. Hélas ! voilà plus d'un an qu'on m'a mis
dans cette tour, en prison. Gauvain, je considère comme du
mépris que vous m'y ayez laissé. Mais peut-être que vous ne
55 le savez pas et que je vous accuse à tort. Oui, c'est vrai, je le
reconnais, et c'est injuste de ma part, et méchant, d'avoir eu
cette pensée, car je suis certain que rien au monde n'aurait
pu empêcher vos gens et vous-même de venir pour m'arracher
à ce malheur et à cette adversité si vous aviez su la vérité ; et
60 vous vous seriez senti obligé de le faire parce que nous sommes
amis et compagnons, voilà le fond de ma pensée. Mais tout
ce discours est vain[4], il est impossible que les choses se passent
comme je le souhaite. Ah ! que Dieu et saint Sylvestre le maudis-
sent, que Dieu l'abandonne à son destin, celui qui m'impose
65 une telle honte ! C'est la pire des créatures de ce monde, ce
Méléagant qui par envie m'a fait le plus de mal possible. »
    Alors s'éteint, alors se tait la plainte de celui qui passe sa vie
dans la douleur. Mais celle qui attendait au bas de la tour avait
entendu tout ce qu'il avait dit ; sans plus attendre, sachant

| **3.** Paysan. | **4.** Inutile.

70 qu'elle était sur la bonne voie, elle lança l'appel qu'il fallait en
criant de toutes ses forces :

« Lancelot, ami, vous qui êtes là-haut, répondez à l'une de
vos amies ! »

Mais lui, de l'intérieur, ne l'entendit pas. Alors elle haussa
75 encore plus la voix, si bien que dans sa faiblesse il l'entendit
à peine, et se demanda avec étonnement qui pouvait bien l'appeler. Il entendait bien une voix l'appeler, mais il ne savait pas
qui l'appelait ; il pensa que ce devait être une apparition.
Regardant autour de lui et vérifiant s'il pourrait voir quel-
80 qu'un, il ne vit rien, seulement sa prison, et lui-même.

« Dieu, fait-il, qu'est-ce que j'entends ? J'entends parler et
je ne vois rien. Ma foi, voilà merveille [5], je ne dors pas, je suis
bien réveillé. Sans doute, si j'avais eu un songe, je pourrais me
croire le jouet d'une illusion. Mais je suis éveillé, et j'en suis
85 tout troublé. »

Alors, non sans mal, il se lève et se dirige vers la petite ouverture, lentement, à petits pas, et une fois arrivé il prend appui
pour voir en haut, en bas, en face et sur les côtés. En tournant son regard vers l'extérieur, il exerce sa vue et finit par
90 apercevoir celle qui l'avait appelé : s'il ne la reconnaît pas, du
moins la voit-il. Mais elle l'a reconnu aussitôt :

« Lancelot, lui dit-elle, je suis venue de bien loin pour vous
chercher. Voilà chose faite, Dieu merci, je vous ai retrouvé.
Je suis celle qui vous a demandé un don, quand vous alliez
95 vers le Pont de l'Épée, et vous me l'avez accordé volontiers
comme je vous en priais ; c'était la tête du chevalier que vous
aviez vaincu ; je vous l'ai fait trancher, car il n'était pas de mes
amis. C'est pour ce don, pour ce service rendu que je me suis
donné tout ce mal ; c'est pour cela que je vous sortirai d'ici.

| **5.** Prodige.

100 – Mademoiselle, je vous en remercie, répond le prisonnier. Ce sera une belle récompense pour le service que je vous ai rendu si l'on me sort d'ici. Si vous pouvez m'en sortir, je puis vous dire et vous promettre que je resterai toujours à votre service, j'en atteste l'apôtre saint Paul ; aussi vrai que je souhaite
105 me trouver un jour en présence de Dieu, il n'y aura aucun jour où je ne sois disposé à faire ce qu'il vous plaira de me commander. Quoi que vous me demandiez, si c'est à ma portée, vous l'aurez sans délai.

– Ami, n'en doutez pas, vous serez bientôt sorti de là.
110 Aujourd'hui même vous serez sorti et délivré ; je ne renoncerais pas pour mille livres[6] à vous tirer de là avant demain. Ensuite je vous procurerai un séjour agréable, le repos et le confort. Il n'y aura rien que vous ne puissiez obtenir de moi, si cela vous fait plaisir. N'ayez plus aucune inquiétude. Mais
115 je dois d'abord me procurer n'importe où dans ce pays un outil permettant, si je le trouve, d'élargir cette ouverture pour que vous puissiez sortir par là.

– Puisse Dieu vous permettre de le trouver ! répond Lancelot, bien d'accord avec tout cela. J'ai là à l'intérieur une longue corde
120 que les gardiens m'ont donnée pour hisser ma nourriture, pain d'orge et eau trouble qui me brouillent cœur et corps. »

Alors la fille de Bademagu se procure un pic fort, carré, pointu et aussitôt elle le fait parvenir à Lancelot. Il en heurte, cogne, frappe et pousse tant le mur que, non sans mal, il se
125 ménage une sortie commode. Quel soulagement, quelle joie, sachez-le, de se voir tiré de prison, et de retrouver sa liberté de mouvement hors des murs où on le retenait en cage ! Voilà l'oiseau à l'air libre, qui peut prendre son essor ! Comprenez bien que pour tout l'or du monde, même si on l'avait entassé
130 pour le lui offrir en cadeau, il n'aurait voulu revenir en arrière.

| **6.** Ancienne monnaie.

Voici donc Lancelot sorti de sa prison, mais si affaibli et amoindri[7] qu'il chancelait : il n'avait plus de force. Alors la demoiselle le prit tout doucement, pour ne pas le blesser, et l'installa devant elle sur sa mule, et ils partirent à vive allure.
135 Elle évita volontairement le chemin normal, pour qu'on ne les voie pas ; ils chevauchèrent en cachette, car marchant à découvert ils auraient pu être reconnus par quelqu'un qui leur aurait vite causé des ennuis, ce que la demoiselle voulait éviter à tout prix. Esquivant le danger de certains passages, elle arriva à un
140 logis où elle séjournait souvent parce qu'il était beau et agréable. La demeure et son personnel étaient à ses ordres, et l'on trouvait tout le nécessaire en cet endroit qui était à la fois sûr et discret. Voilà donc Lancelot arrivé. Dès qu'il y fut venu, on le déshabilla complètement, et la demoiselle le fit douce-
145 ment coucher dans un lit haut et bien fait ; puis elle le baigna et lui prodigua des soins si variés que je ne pourrais en énumérer la moitié. Elle le massait doucement et eut pour lui ces attentions qu'elle aurait pu avoir pour un père ; elle lui rendit sa fraîcheur et sa santé, ce fut un complet changement,
150 une métamorphose. Elle le fit aussi beau qu'un ange ; il n'avait plus l'air d'un gueux ni d'un galeux, mais il était fort et beau. Alors il s'est levé. La demoiselle lui avait procuré la plus belle robe[8] qu'elle ait pu trouver, et elle l'en habilla à son lever. Et lui, tout joyeux, l'enfila, le cœur plus léger qu'un oiseau qui
155 vole. Il donna un baiser à la demoiselle en la prenant par le cou, et puis il lui dit avec amabilité :

« Amie, avec Dieu vous êtes la seule à qui je rende grâces de me retrouver sain et guéri. C'est vous qui m'avez arraché à ma prison, et pour cette raison vous pourrez disposer de
160 mon cœur, de mon corps, de mes services, de tout ce que j'ai.

7. Affaibli.
8. Vêtement d'homme ou de femme. Pour les chevaliers, la robe se compose d'une cotte, d'un surcot et d'un mantel.

Vous avez tant fait pour moi que je vous appartiens. Mais il
y a longtemps que je n'ai pas été à la cour de monseigneur
Arthur qui m'a toujours grandement honoré ; j'y aurais beaucoup de choses à faire. Alors, douce et noble amie, au nom
165 de notre amitié je vous prierais de me donner l'autorisation
de partir, et j'irais volontiers là-bas, si vous en étiez d'accord.

– Lancelot, mon doux ami, cher et beau, répondit la demoiselle, je le veux bien ; je n'ai en vue que votre honneur et votre
bien, partout, où que ce soit. »

170 Elle lui fait don d'un cheval extraordinaire qui lui appartient, le meilleur qu'on ait jamais vu, et il saute en selle, sans
demander aux étriers de l'aide à monter ; il était à cheval avant
d'avoir eu le temps de s'en rendre compte. Alors ils se recom-
mandent à Dieu, qui jamais ne déçoit.

Lancelot
invalide,
enluminure
du XIVᵉ siècle.

Questions

Repérer et analyser

Le cadre

1 a. Dans quel environnement se dresse la tour qu'aperçoit la jeune fille ?

b. Comment cet environnement justifie-t-il que ses amis n'aient pu retrouver Lancelot ?

2 Dans quel lieu la jeune fille emmène-t-elle Lancelot ?

Les choix narratifs

Le point de vue interne

On dit que le point de vue est interne lorsque le narrateur présente les événements et les sentiments en adoptant le point de vue d'un personnage.

3 De quel personnage le narrateur adopte-t-il le point de vue (l. 11-24) ?

Dialogues et monologues

4 a. Quelle différence faites-vous entre un dialogue et un monologue ?

b. Repérez le monologue dans cet épisode. Qui parle ?

c. Quels sont les destinataires de ce monologue ?

5 Quel intérêt ce monologue offre-t-il pour l'auditoire ?

Le parcours de Lancelot

L'épreuve de l'emprisonnement et le désir de la mort

6 Quel a été le sort de Lancelot depuis sa disparition ?

7 Dans quel état moral Lancelot se trouve-t-il ? Montrez en citant le texte qu'il pense beaucoup à la mort.

8 a. Pour quelle raison Lancelot accuse-t-il la Fortune (l. 29) ? En quoi s'agit-il d'une allégorie ?

b. Expliquez l'image de la roue qui tourne en vous appuyant sur les champs lexicaux opposés (l. 29-35).

9 Relevez les procédés de style par lesquels le chevalier exprime son état intérieur (types de phrases, temps des verbes, termes répétés…).

Les imprécations contre l'ennemi

L'imprécation est un discours de malédiction contre quelqu'un.

10 a. Relevez les imprécations lancées contre Méléagant.

b. Quel est le lexique dominant qui renvoie à ce personnage ? Relevez les références à Dieu et aux saints.

c. Quels verbes sont au mode subjonctif ? Précisez la valeur de ce mode.

L'amitié chevaleresque

11 a. Que reproche Lancelot à Gauvain ? Montrez qu'il met en doute son amitié.

b. Quelle excuse lui trouve-t-il ensuite ?

12 a. Relevez les passages dans lesquels Lancelot exprime les règles de l'amitié. Quels sont les devoirs de l'amitié ?

b. Relevez une vérité générale concernant la véritable amitié.

Le rôle de la demoiselle

13 a. Qui est la demoiselle ? À quel royaume appartient-elle ?

b. Pour quelle raison a-t-elle cherché ainsi Lancelot ? Quel don lui avait-il fait ?

14 Quel est le rôle de la Fortune dans ce cas précis (l. 8) ? Comparez avec le rôle que lui assigne Lancelot.

15 a. Comment la jeune fille réussit-elle à libérer Lancelot ?

b. Dans quel état physique le retrouve-t-elle ? Relevez les indices qui l'expriment.

c. Quels sentiments Lancelot éprouve-t-il après sa délivrance ?

16 a. La jeune fille cherche-t-elle à le retenir lorsqu'il manifeste le désir de le quitter ?

b. Quels rapports la jeune fille et Lancelot entretiennent-ils ?

Les éléments symboliques

La tour

La tour qui sert de prison apparaît souvent dans les légendes. Elle symbolise la mort et le tombeau.

17 Relevez les détails qui font de cette tour un lieu inaccessible et dont on ne peut s'échapper.

L'eau

L'eau est à la fois le lieu de la mort et celui de la naissance. Le bain est considéré comme régénérant et purificateur.

18 Comment, par ses attentions, la demoiselle métamorphose-t-elle Lancelot ? Montrez qu'il semble revenir à la vie.

Les animaux symboliques

19 À quel type d'animal Lancelot est-il comparé par deux fois ? Justifiez le choix de cette comparaison.

L'enjeu du passage

20 Où Lancelot décide-t-il de se rendre à la fin de l'extrait ? En quoi, selon vous, le récit s'approche-t-il du dénouement ?

Extrait 13

« Malgré lui, j'en suis sorti »

Lancelot s'était mis en route si joyeux que, même si je l'avais promis et juré, je ne pourrais, malgré tous mes efforts, décrire la joie qu'il éprouvait de s'être ainsi échappé de la prison où il avait été pris au piège. Mais maintenant il se répète souvent
5 que l'autre a fait son malheur en le retenant prisonnier, le traître, le dévoyé[1] : le voilà victime d'un bon tour, d'une autre ruse : « Malgré lui j'en suis sorti ! » se dit-il. Alors il jure sur le cœur et le corps de Celui qui créa l'univers qu'il ne voudrait pour tous les biens et la richesse qu'on trouve de Babylone[2]
10 à Gand[3] laisser Méléagant en réchapper, une fois qu'il le tiendrait à sa merci et l'aurait vaincu ; il s'est trop mal conduit à son égard en souhaitant sa honte. Mais les événements vont lui permettre d'y parvenir ; en effet, ce même Méléagant qu'il menace sans recours était venu ce jour-là sans que personne
15 l'ait invité. Dès son arrivée, il réclama monseigneur Gauvain avec une telle insistance qu'il put le voir. Alors il lui demande des nouvelles de Lancelot, ce coquin, ce fieffé trompeur[4] : l'a-t-on vu et retrouvé ? Comme s'il n'en savait rien ! C'est vrai qu'il était mal informé, mais il pensait être bien au courant.
20 Alors Gauvain lui dit la vérité, qu'il n'avait pas vu Lancelot car il n'était pas revenu.

« Puisque les circonstances font que je vous trouve ici, dit Méléagant, venez donc, et remplissez votre promesse ; je ne veux pas attendre davantage.

---

1. Félon, sorti du droit chemin.
2. Capitale de la Mésopotamie.
3. Ville de Flandre.

4. Qui a atteint le plus haut degré de la tromperie.

25   – J'honorerai d'ici peu, s'il plaît à Dieu en qui je crois, ma
dette à votre égard. Je compte bien m'en acquitter. Mais si
nous jouons pour gagner, et si mes coups l'emportent sur les
vôtres, par Dieu et sainte Foi, j'empocherai tous les enjeux,
je ne vous laisserai pas d'échappatoire[5]. »

30   Alors Gauvain, sans plus attendre, ordonne que l'on mette
et étende sur place un tapis devant lui. Rapidement, mais en
ordre, les écuyers obéissent à ses ordres, sans grogner ni récri-
miner[6]. Ils prennent le tapis et l'étendent à l'endroit qu'il a
indiqué ; il s'installe dessus et, sans attendre, demande qu'on
35   lui revête ses armes : des valets sont à sa disposition, qui n'ont
pas encore mis leur manteau. Il y en avait trois, qui étaient ses
cousins ou ses neveux, je ne sais plus, mais vraiment experts
en armes, et qualifiés. Ils surent bien l'armer, c'était du bon
travail où personne n'aurait trouvé à redire jusque dans le
40   moindre détail. Une fois Gauvain ainsi armé, l'un d'eux alla
chercher un destrier d'Espagne, plus rapide à la course par les
champs, les bois, les collines et les vallées que ne fut le brave
Bucéphale[7]. C'est donc sur un tel cheval que monta le célèbre
chevalier Gauvain, le plus expert de ceux devant qui les gens
45   font le signe de croix. Et il voulait déjà prendre son écu quand
il vit devant lui Lancelot, arrivé à l'improviste, descendre de
cheval. Il le regarda avec étonnement, son arrivée avait été si
soudaine ! Sans mentir, Gauvain était aussi étonné que si
Lancelot était à l'instant tombé du ciel. Mais rien ne peut le
50   retenir, aucune autre nécessité l'empêcher, quand il voit que
c'est bien lui, de descendre de cheval ; et alors il se dirige vers
lui les bras tendus, il le prend par le cou, le salue, l'embrasse.
Le voilà plein de joie, le voilà tout heureux d'avoir retrouvé
son compagnon. Et je vous dirai tout de suite, n'allez pas en

---

5. Issue.
6. Protester.

7. Cheval d'Alexandre le Grand, roi de
Macédoine.

55 douter, que Gauvain aurait sur-le-champ refusé d'être choisi
comme roi s'il avait dû renoncer pour autant à Lancelot.

Déjà le roi sait, et tout le monde avec lui, que Lancelot, n'en
déplaise à certains, après avoir été pendant de longs jours
attendu, est revenu sain et sauf. C'est une réjouissance géné-
60 rale, et la cour se rassemble pour fêter celui qu'elle espérait
depuis si longtemps retrouver. Nul, quel que soit son âge, jeune
ou vieux, ne boude cette joie. Une joie qui dissipe et efface la
douleur qui régnait auparavant. Le chagrin s'enfuit, se manifeste la joie qui sollicite tout le monde. Et la reine, ne participe-
65 t-elle pas à ces manifestations de joie ? – Mais si, elle en premier.
– Comment cela ? – Mon Dieu, où serait-elle, sinon ? Jamais
elle n'a éprouvé une joie semblable à celle que suscite son retour
et elle ne serait pas venue à sa rencontre ? Elle est en vérité si
près de lui que pour un peu le corps suivrait le cœur. – Et que
70 faisait le cœur ? – Il prodiguait baisers et autres familiarités à
Lancelot. – Mais le corps, pourquoi dissimulait-il ? Sa joie
n'était-elle pas parfaite ? Éprouvait-il de la colère et de la haine ?
– Non, assurément, pas du tout, mais cela pourrait bien être
le cas pour certains : il y a le roi et d'autres qui sont présents
75 et ont leurs yeux à l'affût ; ils découvriraient toute l'affaire si,
en présence de tous, le corps obéissait à toutes les volontés du
cœur. Si la raison ne réprimait pas cette folle pensée, cet empor-
tement, on verrait apparaître le secret de ses sentiments ; ce
serait alors le comble de la folie. C'est pourquoi elle enferme
80 et retient son cœur insensé et ses idées folles. Elle l'a un peu
ramené au bon sens et a remis la chose à plus tard, guettant le
moment où elle verrait un endroit favorable, un endroit plus
privé où ils pourraient plus tranquillement qu'en ce moment
arriver à bon port. Le roi réserva à Lancelot bien des marques
85 d'honneur, et après l'avoir convenablement fêté, il lui dit :

« Ami, voilà longtemps que je n'ai pas eu d'aussi bonnes
nouvelles de quelqu'un ; mais je me demande sur quelle terre,

Lancelot, le premier Chevalier, film réalisé par Jerry Zucker avec Sean Connery,
Richard Gere et Julia Ormond (1995).

dans quel pays vous avez été pendant tout ce temps. Durant
tout l'hiver et tout l'été je vous ai fait rechercher, par monts
90 et par vaux, et l'on n'a jamais pu vous trouver.
    – Vraiment, beau sire, fit Lancelot, je peux vous dire en deux
mots ce qui m'est arrivé. Méléagant m'a retenu en prison, ce
tricheur hypocrite, depuis le moment où les prisonniers retenus
sur sa terre ont été délivrés, et il m'a fait mener une vie honteuse
95 dans une tour qu'il a fait construire au bord de la mer ; c'est
là qu'il m'a fait mettre et enfermer, et j'y subirais encore ce
régime très pénible sans une de mes amies, une jeune fille à
qui j'avais jadis rendu un petit service. Pour un petit cadeau
elle m'a donné une large récompense, me faisant grand
100 honneur et me rendant un grand service. Mais à celui qui ne
mérite aucune sorte de respect, celui qui est responsable,
coupable, auteur de ce sort indigne et de ce crime dont j'ai
été la victime, je veux régler son compte immédiatement et

sans délai. C'est bien ce qu'il est venu chercher, et il va l'avoir.
105 Il ne faut pas le faire attendre puisqu'il est tout à fait prêt ; moi
aussi je suis prêt. Dieu veuille qu'il n'ait pas à s'en réjouir. »

Alors Gauvain dit à Lancelot :

« Ami, ce remboursement, si c'est moi qui le fais à votre
créancier[8], je n'y aurai pas grand mérite. Moi aussi je suis prêt
110 et à cheval, comme vous voyez. Beau doux ami, ne me refusez
pas ce service que je souhaite et réclame ! »

Mais Lancelot répondit qu'il se laisserait plutôt arracher de
la tête un œil, voire les deux, que de se rallier à cette proposition. Il jure que cela ne peut pas se faire. C'est lui qui a une
115 dette et il l'acquittera car il l'a juré lui-même en prêtant
serment. Gauvain voit bien qu'il n'y a rien à faire, quoi qu'il
dise. Il ôte le haubert qu'il avait enfilé et toute son armure.
Lancelot revêt cette armure aussitôt, avec empressement ; il
est impatient de voir l'heure où il aura payé et acquitté sa dette.
120 Il ne sera pas heureux tant que Méléagant n'aura pas reçu son
dû. Mais l'autre, frappé d'étonnement, est prêt de perdre la
raison en voyant de ses propres yeux cet événement
merveilleux. Il s'en faut de peu qu'il ne se mette à divaguer[9] ;
c'est à peine s'il garde le contrôle de ses pensées.

125 « Vraiment, dit-il, j'ai été bien fou de ne pas aller voir, avant
de venir ici, si je le tenais encore dans ma prison et dans ma tour,
car il vient de me jouer un tour. Ah ! Dieu, et pourquoi y serais-
je allé ? Comment, pour quelle raison aurais-je pensé qu'il pourrait en sortir ? Les murs n'étaient-ils pas assez solidement
130 construits, la tour n'est-elle pas assez forte ni assez haute ? Il
n'y avait ni trou ni faille par où il pût sortir sans aide venue du
dehors. Peut-être qu'il y a eu une dénonciation. Admettons que
les murs se soient détériorés, qu'ils se soient éboulés et écroulés ;
n'aurait-il pas été écrasé par eux, tué, mis en morceaux et broyé ?

| **8.** Celui à qui on doit quelque chose. | **9.** Tenir des propos incohérents, délirer.

135 Bien sûr que si, par Dieu, s'ils étaient tombés, à coup sûr il serait mort. Mais, je pense, avant que les murs ne faiblissent toute la mer aussi fera défaut, il ne restera plus une goutte d'eau, et ce sera la fin du monde ; à moins qu'ils ne soient abattus par une force extérieure. Mais il en va tout autrement, cela ne s'est pas 140 passé ainsi. Il aura reçu de l'aide pour sortir, il n'a pas pu s'envoler autrement. C'est un complot qui m'a joué ce tour. Quoi qu'il en soit, le voilà dehors. Si j'avais fait plus attention, cela ne serait pas arrivé, il ne serait pas venu à la cour. Mais il est trop tard pour se repentir. Celle qui ne trompe jamais, la sagesse popu- 145 laire, dit bien une vérité établie, qu'il est trop tard pour fermer l'écurie quand le cheval a été volé. Je sais bien qu'on va me traîner dans la boue et dans la honte si je n'affronte pas l'épreuve de la souffrance. Souffrir, endurer quoi ? Tant que je pourrai tenir, je lui donnerai de quoi s'occuper, s'il plaît à Dieu à qui je fais 150 confiance. »

C'est ainsi qu'il cherche à reprendre assurance et il n'aspire à plus rien d'autre qu'à leur rencontre sur le champ de bataille. Et le moment était arrivé, je crois, car Lancelot allait le chercher, pensant bien le vaincre rapidement. Mais avant 155 leur assaut le roi dit à chacun de descendre dans la lande au pied du donjon (c'est la plus belle lande qu'on puisse trouver jusqu'en Irlande). C'est ce qu'ils ont fait ; ils s'y sont rendus en dévalant rapidement la pente. Le roi s'y est aussi rendu, suivi par tout le monde, hommes et femmes, par troupes 160 entières et par groupes. Tous se sont rendus là, personne ne restant en arrière ; mais aux fenêtres aussi se sont installées, avec la reine, dames et demoiselles pour voir Lancelot.

Sur la lande il y avait un sycomore[10], le plus beau qu'on puisse trouver ; il tenait beaucoup de place, tant il avait large- 165 ment poussé. Tout autour une herbe fine formait une bordure

| **10.** Arbre, variété d'érable.

fraîche et belle, qui se renouvelait en toute saison. Sous ce noble et beau sycomore, planté au temps d'Abel[11], jaillissait une source au débit rapide. Elle courait sur un beau et clair gravier de couleur argentée depuis une conduite[12] fondue en
170 or fin, je pense, à travers la lande, suivant la pente jusqu'à un vallon entre deux bois. C'est là que le roi avait décidé de s'asseoir, trouvant l'endroit très agréable. Il fit se retirer les gens en arrière. Alors Lancelot fonça vers Méléagant de tout son élan, comme transporté par la haine. Mais avant de le frapper
175 il lui cria d'une voix haute et farouche :

« Avancez par ici, je vous lance un défi ! Et sachez bien que je ne vous épargnerai pas ! »

Puis il éperonna son cheval, le ramenant en arrière pour prendre du champ à environ une portée d'arc. Ils se précipi-
180 tèrent alors l'un vers l'autre de toute la vitesse de leurs chevaux. Ils ont d'abord frappé sur leurs écus, que malgré leur solidité ils transpercent sans cependant se blesser ni s'atteindre dans leur chair, ni l'un ni l'autre pour cette fois. Ils se sont croisés rapidement mais reviennent au galop de leurs chevaux frapper
185 sur leurs écus solides et résistants. Ils ont encore montré leur force, en chevaliers courageux et vaillants portés par des chevaux robustes et rapides. La force de leurs coups appliqués sur les écus pendus à leur cou a fait traverser leurs lances sans qu'elles se fendent ni se brisent, si bien qu'elles ont atteint
190 cette fois leur chair mise à nu. Chacun a poussé de toutes ses forces, jetant l'autre à terre sans qu'aient pu résister poitrails, sangles ni étriers pour les empêcher de vider leur selle et de tomber sur la terre nue. Les chevaux affolés partirent dans tous les sens ; ruant ou mordant, ils cherchaient aussi à s'en-
195 tretuer. Après leur chute les chevaliers se relevèrent le plus vite possible, tirant leurs épées où étaient gravées leurs devises.

| 11. Deuxième fils d'Adam et Ève. | 12. Tuyau.

Tenant l'écu à hauteur du visage pour se protéger, ils cherchèrent désormais une ouverture pour faire mal avec leur épée d'acier tranchant. Lancelot n'avait pas peur car il était deux fois plus habile que Méléagant au maniement de l'épée, l'ayant appris dès son enfance. Ils se donnent tous les deux de grands coups sur leurs écus et sur les heaumes lamés d'or, si bien qu'ils les ont fendus et bosselés. Mais Lancelot presse son adversaire de plus en plus, et voilà qu'il lui assène [13] puissamment un grand coup sur le bras droit que l'écu a laissé à découvert, et malgré le fer qui le protège il le tranche net. Se sentant mutilé, Méléagant dit qu'il lui vendra cher sa main droite ainsi perdue. Si l'occasion s'en présente, il n'hésitera pas, rien ne le retiendra. En fait, il éprouve une telle douleur, une telle colère, une telle rage qu'il n'est pas loin de devenir fou ; il se tient pour méprisable s'il ne réserve pas à son adversaire un mauvais coup de sa façon. Il court vers lui, pensant le surprendre, mais Lancelot est sur ses gardes. Du tranchant de son épée, il lui a fait une telle brèche [14] et entaille que l'autre ne s'en remettra pas avant que ne passent avril et mai ; car le coup qu'il lui donne sur le nasal [15] le lui fait rentrer dans les dents, dont trois se brisent dans sa bouche. La fureur de Méléagant est telle qu'il ne peut plus parler ni dire un mot, et il ne daigne pas demander grâce ; car la folie de son cœur lui donne un mauvais conseil dont il reste prisonnier et ligoté. Lancelot s'approche, il lui délace son heaume et lui tranche la tête. Celui-là ne pourra plus lui échapper ; il est tombé mort, c'en est fait de lui. Je peux vous dire que personne dans l'assistance à ce spectacle n'éprouve de pitié pour lui. Le roi et tous ceux qui sont là manifestent une grande joie. Alors Lancelot est désarmé par les plus enthousiastes, et il est promené en triomphe.

---

13. Donne.   **15.** Partie du heaume qui recouvre le nez.
14. Trou, ouverture.

Seigneurs, si je continuais mon récit je sortirais de mon sujet. C'est pourquoi je me dispose à conclure : ici s'arrête tout à fait le roman. Le clerc Godefroi de Lagny a achevé *La Charrette*.

230 Mais que personne ne lui reproche d'avoir continué le travail de Chrétien, car il l'a fait avec le complet accord de Chrétien qui l'a commencé. Son travail a débuté au moment où Lancelot est mis en prison, et duré jusqu'à la fin. C'est tout ce qu'il a fait, il ne veut rien y ajouter ni rien en retrancher : ce serait

235 nuire à la qualité du conte.

ICI SE TERMINE LE ROMAN
DE LANCELOT DE LA CHARRETTE

Cavalier, troussequin de selle en ivoire, XIVe siècle.

Questions

Repérer et analyser

La situation d'énonciation

Les interventions du narrateur

1 **a.** Montrez que le narrateur intervient dans le récit. À quels moments et à propos de qui ou de quoi ?

b. Quel est l'effet produit par ces interventions ?

c. Quel est le rôle des questions-réponses (l. 64-77) ?

L'épilogue

> *L'épilogue* fait symétrie au prologue, c'est un petit texte qui clôt une œuvre.

2 À quelle ligne commence l'épilogue ?

3 Qui a écrit la fin du roman ?

La conduite du récit

4 **a.** L'arrivée de Méléagant à la cour du roi Arthur était-elle attendue ? Relevez l'expression qui l'indique.

b. Pour quelles raisons Gauvain s'apprête-t-il à se substituer à Lancelot ? Pour répondre, reportez-vous au hors texte qui précède l'extrait 12.

5 Le coup de théâtre

> *Un coup de théâtre* est un événement qui survient brutalement et de façon inattendue.

À quel coup de théâtre la cour assiste-t-elle ?

Le parcours du héros

Le retour à la cour

> Le retour du héros à la cour du roi Arthur est traditionnel dans les romans arthuriens.

6 **a.** Pourquoi Lancelot a-t-il souhaité rentrer rapidement à la cour ?

b. Comment y est-il accueilli ?

Lancelot et Méléagant

7 **a.** Quels sentiments Lancelot éprouve-t-il pour Méléagant ? Relevez les termes que Lancelot applique à son ennemi.

b. Ces sentiments sont-ils dignes d'un chevalier ? Justifiez votre réponse en rappelant notamment quelles sont les vertus chevaleresques.

L'amitié chevaleresque : Gauvain et Lancelot

8 **a.** Comment Gauvain réagit-il à la vue de Lancelot ? Relevez les expressions qui témoignent de l'amitié qui lie les deux chevaliers.

b. Pourquoi Gauvain demande-t-il à Lancelot de le laisser combattre à sa place ?

c. Quelles armes Lancelot revêt-il ? Quel symbole y voyez-vous ?

L'épreuve chevaleresque : le combat et la fin du parcours

9 **a.** Dans quel lieu le combat se déroule-t-il ? Quel contraste voyez-vous entre le lieu choisi et l'événement qui s'y tient ?

b. Pourquoi est-il important que le combat se déroule en présence du roi Arthur ?

10 À quelles motivations Lancelot obéit-il en livrant ce combat ?

11 **a.** Dégagez les différentes étapes du combat.

b. Ce combat se déroule-t-il selon les codes du combat chevaleresque (voir leçon p. 79, extrait 8) ?

c. Relevez quelques détails réalistes qui soulignent sa violence.

12 Pourquoi Lancelot ne laisse-t-il pas la vie sauve à son adversaire ?

13 **a.** Quelles sont les conséquences de ce combat pour le royaume de Logres et pour la reine ?

b. La quête de Lancelot est-elle maintenant achevée ? Qu'a-t-il accompli ?

Le code amoureux, le code chevaleresque

14 **a.** Par quels procédés le narrateur exprime-t-il la joie que le retour du chevalier suscite chez Guenièvre ?

b. Pourquoi la reine contient-elle les sentiments qui l'animent ?

c. Quel est le combat qui se livre en elle ? Appuyez-vous sur des termes précis. Montrez qu'elle met sa fonction de souveraine au premier plan.

15 Montrez que Lancelot s'est transformé au cours de ses aventures pour devenir un chevalier accompli. Quel a été le rôle de l'amour dans cette transformation ?

L'enjeu du passage

16 a. Quelles valeurs Méléagant incarnait-il ?

b. Que symbolisent sa mort et la victoire de Lancelot ? Quelles sont les valeurs qui l'emportent ?

Écrire

Décrire une scène de banquet

17 Un festin est donné dans la grande salle du donjon pour fêter la victoire de Lancelot. Après avoir décrit cette salle et l'atmosphère qui y règne, vous vous attarderez sur le plaisir qu'ont Gauvain et Lancelot de se retrouver et vous introduirez un dialogue dans lequel chacun demande à l'autre des détails sur leurs aventures respectives.

Questions de synthèse

Lancelot ou le Chevalier de la Charrette

L'auteur et son œuvre, le narrateur, le public

1 **a.** Qui est l'auteur du *Chevalier de la Charrette* ?

b. À quelle époque ce roman a-t-il été conçu ?

2 **a.** Quel est le sens du nom « roman » au XIIe siècle ?
Les romans étaient-ils lus comme aujourd'hui par le public ?

b. Citez quelques interventions du narrateur au cours du récit.
Quel en est l'intérêt ?

3 **a.** À qui l'auteur dédie-t-il son ouvrage ?

b. À qui est attribuée la fin du roman ?

Le cadre et les personnages

4 **a.** Dans quels royaumes se déroule l'action ? Quel roi règne sur chacun de ces deux royaumes ? Caractérisez chacun d'eux.

b. Qui sont les personnages principaux jouant un rôle dans l'action ?
Précisez les relations qu'ils entretiennent (liaison, opposition…).

Le parcours de Lancelot

5 **a.** Quel événement déclenche la quête à laquelle se livre Lancelot ?
Quel est l'objet de cette quête ?

b. Quelle seconde quête vient se greffer à la première ?

6 **a.** Quels différents exploits le chevalier accomplit-il au cours de son parcours ?

b. Que se passe-t-il lors de la scène du cimetière ? En quoi cette scène marque-t-elle un tournant dans le parcours du personnage ?

7 **a.** De quelles trahisons Lancelot est-il victime ?

b. Quelles rencontres importantes fait-il ? Qui sont ses adjuvants ?
Qui sont ses opposants ?

c. Quel rôle Gauvain joue-t-il auprès de lui ?

8 **a.** Dans quelles circonstances Lancelot refuse-t-il de dire son nom ? Comment est-il désigné avant que l'on apprenne son nom ?
b. Qui révèle l'identité du chevalier ? À quel moment du récit ? Quelles sont les conséquences de cette révélation ?

9 **a.** De quelle façon Lancelot évolue-t-il au cours du roman ?
b. Montrez par des exemples précis qu'il devient un chevalier accompli.

Les valeurs chevaleresques

Le service de la dame

10 **a.** Quelle faute Lancelot a-t-il commise envers Guenièvre ?
b. La reine lui pardonne-t-elle dans un premier temps ? Pour quelle raison lui pardonne-t-elle ensuite ?

11 **a.** Relevez dans le récit les marques de la soumission du chevalier envers sa dame.
b. Quelles sont les exigences du service de la dame ?

La courtoisie

12 **a.** Quels sont les personnages qui incarnent des modèles de courtoisie ? De quelles qualités font-ils preuve ?
b. Quels sont ceux qui se montrent discourtois ? En quoi le sont-ils ?

Les combats

13 Quels sont les enjeux des différents combats que livre Lancelot ? Qui affronte-t-il ?

14 Quelles sont les règles du combat chevaleresque ? Sont-elles respectées ? Qui sont les arbitres de ces combats ?

Les éléments merveilleux et symboliques

15 Relevez les principaux éléments merveilleux (lieux, personnages, objets).

16 Quel est le symbole de la charrette ?

Index des rubriques

Table des illustrations

Iconographie : Hatier illustration/Christine Charier
Graphisme : Mecano-Laurent Batard
Mise en page : Ordiphone communication/
                        Éloïse Mariotta
Édition : Christine Delage

Achevé d'imprimer par Hérissey à Évreux (Eure) - France
Dépôt légal : 93179 - 6/05 - Janvier 2013 - N° d'imp. : 119805